CATHY'S RING

Si vous trouvez ce carnet,
merci d'appeler le 01 70 94 90 52

Stewart | Weisman | Brigg

bayard jeunesse

© 2009 Sean Stewart et Jordan Weisman

Publié pour la première fois aux États-Unis par Running Press,
une marque de Perseus Books Group.

© 2010 Bayard Éditions pour la traduction française,
18, rue Barbès, 92128 Montrouge cedex.

Traduit de l'anglais (États-Unis) par Pascale Jusforgues.

Illustrations Cathy Brigg
Calligraphie : Adèle Houssin
Mise en page : Véronique Rossi

ISBN : 978 27470 31776
Dépôt légal : octobre 2010
Loi n°49-956 sur les publications destinées à la jeunesse.

Fiole de poison (Heure de mon Double Diabolique)

Ma mère travaillait de nuit à l'hôpital, et j'étais seule à la maison. Malgré la chaleur accablante, j'avais coupé la climatisation juste après son départ afin de limiter la facture d'électricité. Vu mon incapacité chronique à assurer ma part du loyer, ça me paraissait la moindre des choses. Du coup, en allant me coucher, j'ai eu l'impression d'entrer dans un four, thermostat réglé au maximum. L'été se poursuivait sans relâche. Cela faisait des mois que la poussière n'avait pas goûté à la pluie. La saison des incendies avait démarré : huit mille hectares de forêt étaient déjà partis en fumée dans les contreforts de la Sierra et, plus près de chez nous, d'immenses feux de prairie ravageaient les alentours de Gilroy, Vacaville et Palo Alto. Des dizaines de foyers moins importants avaient carbonisé l'herbe tout le long des autoroutes jusqu'à San Francisco.

Je me suis déshabillée et j'ai mis mon pyjama le plus léger. Après une seconde d'hésitation, j'ai décidé de garder sur moi le porte-bonheur que m'a offert Victor, mon copain : une pièce chinoise enfilée sur une cordelette en soie, qu'il a soi-disant achetée en passant devant la boutique cadeaux de l'hôpital, un peu plus tôt dans la journée. Je me suis traînée jusqu'à la salle de bains avec ce poids inhabituel qui me cognait sur la clavicule à chaque pas. Je me suis aspergé le visage d'eau froide. Le miroir m'a renvoyé le reflet d'une fille aux yeux rougis de fatigue. Je suis retournée dans ma chambre et j'ai ouvert la fenêtre en grand. Il n'y avait pas un souffle de vent, juste une odeur de brûlé, comme si quelqu'un avait gratté une énorme allumette qui se serait consumée jusqu'au bout.

J'ai retiré la couverture de mon lit et je me suis allongée sur les draps, attendant de trouver le sommeil. Moins de dix heures plus tôt, j'avais vu un homme se faire abattre. Dès que je fermais les paupières, je le revoyais en train de contempler, incrédule, sa poitrine ensanglantée. L'image de la moquette imbibée de sang et du papier peint éclaboussé de rouge restait imprimée sur ma rétine. En cette nuit caniculaire, une odeur de poudre à canon flottait dans l'air.

Le mort s'appelait Tsao. « Je t'aimerai *toujours,* Cathy. » Voilà les derniers mots qu'il avait prononcés avant de décéder.

On prétend que l'amour réchauffe l'âme, mais il peut aussi la brûler.

À minuit passé, j'ai renoncé à dormir. Je me suis levée, j'ai allumé la lumière et je suis allée fermer la fenêtre de ma chambre. Puis j'ai sorti de mon sac un flacon de parfum et je me suis assise au bord du lit pour l'examiner. C'était une petite bouteille en cristal dont la forme arrondie figurait un fruit – pomme ou pêche. Le bouchon était orné d'une tige à laquelle s'accrochait une unique feuille. À l'intérieur, le liquide ambré avait des reflets rouges, comme si on y avait ajouté une cuillère à café de sang.

J'ai levé le flacon à la hauteur de mon visage et ôté le bouchon. Avant, quand je voulais sentir quelque chose, je me penchais dessus et j'aspirais l'air à pleines narines, comme la plupart des gens ; mais depuis mon stage de formation pour être démonstratrice en parfumerie au centre commercial, j'ai appris que, pour apprécier une odeur, il vaut mieux respirer normalement, la bouche entrouverte, et brasser l'air avec la main. Forte de cette technique, j'ai laissé les effluves circuler autour de moi et analysé les différentes fragrances : en note de tête, une senteur douceâtre de pêche, avec une désagréable nuance de formol et de fumée. Le tout évoquait le désir sans espoir. Comme un ange en flammes.

2.

Mon téléphone a sonné. J'ai décroché immédiatement, croyant qu'un de mes proches avait des ennuis. Emma ou Victor, par exemple. J'avais à moitié raison.

– Tu m'as piqué mon parfum ! m'a accusée une voix à l'accent texan fort prononcé.

– Eh, mais c'est Jewel, mon double diabolique ! ai-je ironisé.

Dix heures plus tôt, on était dans la même pièce, elle et moi. C'est elle qui avait tué Tsao. Ensuite, elle avait pris tout l'argent que contenait le portefeuille de sa victime et m'avait forcée à lui remettre mon permis de conduire sous la menace de son revolver. Je pensais ne plus jamais avoir de ses nouvelles. C'est ce qu'on appelle prendre ses désirs pour des réalités.

– Ça me fait plaisir de t'entendre, Jewel. D'où est-ce que tu appelles ?

En fond sonore, je percevais des discussions d'ivrognes, des tintements de bouteilles et un boum-boum obsédant de dance music.

– D'un téléphone public à l'église baptiste, m'a répondu Jewel. C'est toi qui as pris le parfum dans mon sac cet après-midi, hein ?

– Bien sûr que non, je ne suis pas une voleuse, ai-je affirmé tout en faisant tourner le flacon de cristal au creux de ma main.

Le liquide contenu dans cette bouteille n'était pas à proprement parler du parfum. C'était un poison spécial, un agent chimique très complexe qui avait le pouvoir d'annihiler le gène de l'immortalité. Or, depuis quelque temps, ma vie était infestée d'immortels : mon père, mon copain et l'Ancêtre Lu, l'ex-patron de mon copain, sans compter les autres. Pour être franche, disons que j'éprouvais une certaine satisfaction à détenir cette petite fiole de poison. Ce n'est peut-être pas très charitable de ma part, mais ça me rassurait de penser que, d'un simple pschitt, je pouvais redonner un statut de simple mortel à ces demi-dieux qui

3.

avaient l'éternité devant eux. Je ressentais même un malin
plaisir à l'idée que ces êtres dotés de réflexes foudroyants et
d'une capacité de guérison surnaturelle puissent redécouvrir ce
qu'était la douleur et l'angoisse du temps qui passe.

– Tu l'as sans doute rangé quelque part mais tu ne sais plus où,
ai-je poursuivi. Ce sont des choses qui arrivent. Personnellement,
je n'arrive pas à remettre la main sur mon permis de conduire.
Marrant, non ?

– Ouais, très, a grogné Jewel avant d'avaler une gorgée de
je-ne-sais-quoi. Est-ce que tu as eu la visite des keufs ?

– Pas encore.

Depuis mon retour, je m'attendais à voir débarquer les flics
avec leurs gros sabots. À cause d'un incident survenu quelques mois
auparavant, la police avait jugé bon de prendre mes empreintes
digitales. Cette fois, si les inspecteurs avaient passé la chambre
d'hôtel au peigne fin, nul doute que leurs ordinateurs feraient
vite le rapprochement entre ma petite personne et le meurtre de
Tsao. Techniquement parlant j'étais innocente, mais il est toujours
dangereux de mentir aux flics, et si je leur disais la vérité – à savoir
que le père immortel de mon copain avait un faible pour moi
et qu'il avait été abattu par mon double diabolique après avoir
été aspergé d'un sérum secret qui l'avait rendu mortel – j'étais
carrément mal barrée.

Jewel a écarté le téléphone de sa bouche : Hep, garçon !
Ouais, toi, espèce d'empoté. Sers-moi une autre bière. OK, Cathy,
je t'écoute. Pas de nouvelles des keufs, tu dis ? Ça peut être bon
signe… ou pas.

Je l'ai entendue siroter sa bière.

– La version positive, c'est que t'as pas laissé trop
d'empreintes, a-t-elle repris.

– Et la version négative ?

– Eh ben, d'après Tsao, l'Ancêtre Lu a engagé des terreurs

de l'informatique, des mecs capables de faire des tas de trucs, genre effacer un casier judiciaire. Peut-être qu'ils ont supprimé le dossier avec tes empreintes ?

– Je ne vois pas pourquoi l'Ancêtre Lu me rendrait ce service.

– Tu piges rien, a embrayé sèchement Jewel. Ce serait pas pour te faire une fleur mais parce qu'il veut te liquider lui-même et tu seras plus facile à choper si tu restes en liberté plutôt qu'au fond d'une jolie cellule de prison.

– Aah, ai-je dégluti.

– Comment va Denny ? m'a demandé Jewel sans transition. Tu l'as emmené chez le docteur ?

Denny était son frère. Tsao lui avait cassé le bras le matin même. « Personne n'a le droit de frapper mon frère à part moi. » : voilà la dernière chose que Jewel avait dite avant de tuer Tsao.

– On l'a conduit à l'hôpital, l'ai-je informée. Il y était encore il y a deux heures. Il n'est pas près de jouer du piano, mais ses jours ne sont pas en danger.

– Écoute, Cathy, faut lui dire de retourner au Texas. S'il ne rentre pas dare-dare, son agent de probation va criser grave.

– Ton frère a le sens de la famille, Jewel. Jamais il ne te laissera tomber.

– Je sais. C'est pour ça que tu vas lui dire que je suis rentrée à la maison.

À présent, on entendait du rap à l'arrière-plan.

– Ils passent une drôle de musique dans ton église, ai-je lâché.

– Si c'est moi qui lui parle, il se doutera que je baratine. Mais avec toi, ça marchera. Il t'a à la bonne. Faute de mieux.

– Écoute, Jewel…

– Arrête ! C'est toi qui as entraîné mon frangin dans cette galère, Cathy. C'est à toi de l'en sortir. Et vite. Fais-lui passer le message dès demain matin, avant que les types de l'Ancêtre Lu te tombent dessus.

Et crac ! Elle a raccroché.

Il m'a fallu un bon moment pour m'endormir.

Coup de ciseaux (Heure de Celui qui Vient pour me Pulvériser)

Je me suis réveillée en sursaut, terrifiée, scrutant l'obscurité, tendant l'oreille, le cœur battant. J'étais électrisée, comme si chaque centimètre carré de ma peau cherchait à capter le moindre son. La pendule de ma table de nuit indiquait 4 h 13 du matin.

Là !

Encore ce bruit. On aurait dit un rat qui grignotait la fenêtre de ma chambre. Quelqu'un essayait de forcer l'ouverture avec une pince ou un tournevis. Quelqu'un qui cherchait à entrer. Pour me mettre la main dessus, exactement comme l'avait prédit Jewel.

J'étais seule dans le noir et personne ne m'entendrait appeler au secours. Depuis la « mort » de mon père, il n'y avait plus que maman et moi à la maison, et maman travaillait toutes les nuits à l'hôpital. Mon portable était resté sur la commode, je me souvenais l'avoir posé là après le coup de fil de Jewel. En admettant que j'arrive à l'atteindre et à composer le 911, les flics arriveraient juste à temps pour découvrir mon cadavre. Dans le meilleur des cas, ils attraperaient et enverraient mon assassin en prison, où il coulerait des jours paisibles, s'adonnant aux joies des mots croisés ou du tricot après avoir humblement reconnu ses torts ; au bout de quelques années, il tournerait dans un documentaire consacré aux taulards repentis qui ont su trouver la rédemption en milieu carcéral ; finalement, il serait libéré sur parole et ouvrirait un petit commerce de lainages assez florissant qui ferait sa fierté. Mais ça me fera une belle jambe, hein ? Parce que moi, je serai morte et enterrée. Ma pauvre mère se rendra au cimetière tous les six mois et se recueillera tristement sur deux tombes au lieu d'une.

Scritch, stratch, scritch-scritch, stratch-stratch. Léger grincement plaintif de la fenêtre qui s'entrouvre, ensuite :

– piétinement discret au dehors, quelqu'un qui arrive en courant, *puis*

   – bruits de lutte étouffés, *puis*

   – son mat d'une matraque s'abattant sur un crâne

   – cri étranglé, *puis*

   – corps-à-corps, silence mortel, *puis*

   – craquement d'os brisés,

   – léger tintement métallique, sifflement d'un couteau tailladant la chair, *puis*

   – violente giclée, telles des gouttes de pluie cinglant les carreaux.

   J'ai sauté du lit et traversé ma chambre à quatre pattes, sûre que la fenêtre allait voler en éclats et que j'allais recevoir une rafale de balles dans le dos. J'ai réussi à atteindre le couloir.

   Grognement rauque, *et*

   – Bruit sourd d'un corps heurtant le mur de la maison.

   Une fois hors de la ligne de mire, je me suis mise en position accroupie – assez maladroitement, il faut le dire. Au moment de gifler l'interrupteur du couloir, je me suis ravisée : si j'allumais la lumière, je ne ferais que faciliter la tâche à mes agresseurs. Connaître la maison par cœur, même dans le noir, était mon seul atout.

   Je me suis redressée, j'ai foncé vers la salle de bains, ouvert d'un coup sec le tiroir à maquillage et farfouillé à tâtons parmi les peignes, les élastiques, les barrettes, les tubes de fond de teint, les rouges à lèvres, les crayons à yeux, plein de trucs dont je ne me servais plus. Finalement, mes doigts ont rencontré les petits ciseaux que ma mère utilisait pour tailler les sourcils de mon père. J'ai fermé la porte et le verrou, puis je me suis réfugiée à pas de loup dans la douche. Les anneaux métalliques ont tintinnabulé le long de la barre quand j'ai tiré le rideau plastifié. Je me suis blottie dos au mur, ciseaux au poing. J'imaginais déjà un tueur défonçant

7.

la porte… Je savais que je devrais agir vite et frapper le plus fort possible, car je n'aurais droit qu'à un seul essai.

J'étais là, au fond de la douche, grelottant de peur, avec pour seule défense cette arme ridicule. Attendant derrière la porte close, telle Anne Frank dans son grenier, me demandant si ma dernière heure allait sonner.

À l'extérieur, un autre coup sourd s'est fait entendre. Puis un cri suivi d'un bref gargouillement.

Ensuite, silence.

Plus rien.

Que se passait-il dehors, punaise ?

J'ai attendu.

Attendu.

Attendu. Osant à peine respirer. Pas un bruit, pas un son, à part le tam-tam de mon cœur.

*

Je suis restée sans bouger, l'oreille aux aguets, pendant ce qui m'a paru une éternité. Mais après ce dernier cri, plus rien n'est venu troubler le silence. Finalement j'ai émergé de la douche, serrant toujours les ciseaux dans ma main. Je me suis faufilée jusqu'à la cuisine afin de sortir par la porte de derrière. Il ne faisait pas encore jour mais le ciel commençait à s'éclaircir légèrement, passant d'un noir d'encre de Chine à un gris sombre d'aquarelle. L'atmosphère s'était enfin rafraîchie, mais j'avais toujours ce goût de cendres dans la bouche. On percevait la faible rumeur de la circulation sur l'autoroute, quelques blocs plus loin. Après quelques balbutiements, l'arrosage automatique des voisins s'est mis en marche. Il était 5 heures du matin.

Plus aucun bruit de lutte dans les parages. Plus personne n'essayant d'entrer par effraction dans ma chambre.

J'ai fait le tour de la maison et inspecté les alentours.

C'est alors que j'ai découvert trois corps recroquevillés par terre sous ma fenêtre. Trois formes immobiles, aux membres raides formant des angles bizarres, semblables à des poupées brusquement abandonnées par des enfants à l'appel du dîner. Trois cadavres, c'était évident. À plusieurs endroits, on distinguait la trace pâle d'un os mis à nu. Je me suis détournée et j'ai vomi.

Quelque part dans la pénombre, un merle s'est mis à chanter. C'était l'aurore.

Redémarrage

OK, je sais, c'est dégueu. Désolée pour la description. Mais mettez-vous à ma place.

Pour ceux d'entre vous qui n'ont jamais fait preuve d'une attention très soutenue en cours (ce qui est aussi mon cas), je crois que le moment est venu de faire un petit récapitulatif afin de comprendre comment une fille banale, dont les plus graves préoccupations allaient des Problèmes de Cheveux aux Sarcasmes de ses Camarades de Classe, s'est soudain retrouvée avec trois macchabées sous sa fenêtre.

Emma, ma meilleure amie, affirme que les gens n'ont pas tous la même façon de traiter les informations. Aussi ai-je préparé ce Résumé Pratique à votre intention :

10.

Victor Chan est un type canon, riche, plein de charme. Bref, le copain idéal... jusqu'à ce qu'il me plaque du jour au lendemain. Je décide de ~~l'espionner~~ mener ma petite enquête.

L'ancêtre Lu est immortel. Il veut que Victor découvre le moyen d'offrir l'éternité à tous les êtres humains. Il fait pression sur lui en menaçant de me tuer. Suis-je la seule à déceler l'ironie de la situation ?

Jun, la fille aînée de Lu, abat Victor de plusieurs balles en plein cœur... et il s'en remet. Ah, d'accord ! Maintenant je comprends.

Le père de Victor, Tsao Kuo Chiu, fait lui aussi partie de la Grande Confrérie des immortels. D'après la légende, il est voué à tomber amoureux d'une fille née le premier jour de l'année du Tigre. Devinez qui c'est ?

II.

J'ai rencontré Jewel dans un car.
Elle n'est pas immortelle.
Elle m'a volé mes affaires.

Au lieu de percer le secret de la Jeunesse Éternelle,
Victor découvre la Brume mortelle, un sérum qui
anéantit le gène de l'immortalité.
C'est ce qui s'appelle jouer à qui perd gagne.

J'ai trouvé mon père raide mort dans son atelier,
et ça a été terrible pour moi. Plus tard j'ai
appris qu'il était immortel et que cette
crise cardiaque n'était qu'une mise en scène.
Ce genre de truc, ça craint pas mal aussi.

Jewel tire profit de sa vague ressemblance avec ma
petite personne pour sortir avec Tsao, mais ce dernier finit
par décider qu'elle serait plus utile morte que vive. Du
coup, Jewel l'asperge de Sérum mortel (pschitt !)
et le descend avec un .38mm (pan !)

Maintenant c'est moi qui détiens le sérum.
L'Ancêtre Lu est furax. Il m'a envoyé des tueurs
professionnels, mais quelqu'un les a abattus et
je n'ai AUCUNE IDÉE DE QUI ÇA PEUT ÊTRE.

Vous avez du mal à suivre ?
Bienvenue au club !

12.

Ça y est, vous avez révisé ? Bien. Nous allons pouvoir reprendre le cours normal de notre programme. À l'heure où nous l'avons quittée, notre héroïne était en train de vomir sur la pelouse après avoir découvert trois cadavres sous sa fenêtre…

Heure de la Poussée Maximale d'Adrénaline

J'ai regagné ma chambre en courant et je me suis jetée sur mon portable, mais j'avais tellement la tremblote que je l'ai laissé tomber par terre. Il s'est ouvert en deux et a craché sa batterie dans la foulée. Je me suis baissée pour ramasser les morceaux tout en suant à grosses gouttes et en jurant comme une charretière. Paradoxalement, cet accès de colère m'a aidée à moins trembler. Du coup, j'ai entretenu ma rage. « Saleté de téléphone ! » ai-je pesté d'une voix qui imitait à la perfection celle d'Emma.

Une pensée terrifiante m'a traversé l'esprit.

Et si je n'avais pas été la seule à recevoir de la visite cette nuit ? « Oh, mon Dieu », ai-je murmuré avant d'appuyer sur la touche correspondant au numéro de mon amie.

Premier coup de sonnerie. *Par pitié, réponds !*

Deuxième coup. *Allez, Emma, décroche ! Je serai un ange avec toi si tu réponds.*

J'ai fermé les yeux pour repousser une vision odieuse : Emma, inerte dans sa chambre, un filet de sang au coin des lèvres et deux taches rouges qui s'épanouissaient comme d'immondes fleurs au milieu du T-shirt Hello Kitty qu'elle mettait pour dormir.

Troisième sonnerie. *Je t'en supplie, décroche ! Je te promets de ne plus jamais te dire de vacheries jusqu'à la fin de mes…*

– Allôôô ? a croassé une voix à l'accent british encore tout enrouée de sommeil.

– Ah, c'est pas trop tôt ! ai-je fulminé. Tu t'es fait piquer par une mouche tsé-tsé ou quoi ?

– Hein ? C'est… c'est toi, Cathy ?

– Il faut que tu quittes ton appartement *tout de suite.*

Quelqu'un a essayé de me tuer, cette nuit.

– Te tt… ?

Emma a émis une sorte de hoquet suivi d'un grand boum.

– EMMA ! ai-je hurlé tandis que les bruits d'une lutte acharnée ponctuée de jurons me parvenaient de l'autre bout du fil.

Une voix d'homme s'est élevée à l'arrière-plan ; quelqu'un a donné un coup de pied dans le téléphone, et j'ai eu l'impression qu'on me tirait à bout portant dans l'oreille.

– EMMA ! TU VAS BIEN ?

– Super, merci, a grogné mon amie. (J'en aurais pleuré de soulagement.) Je viens juste de tomber de ce fichu hamac.

– Quel hamac ? Qu'est-ce que tu racontes ?

– Bon sang, Cathy, il est cinq heures du matin !

Donc il n'y avait pas eu de grabuge. Le ramdam que j'avais pris pour une bagarre, c'était tout simplement Emma qui avait dégringolé d'un hamac. Et qui dit hamac dit bateau. Donc la voix d'homme, c'était…

– Emma, tu es chez Pete ? Tu as dormi avec Pete ?

– Cathy !

– Emma !

– J'ai dormi *tout court*, d'accord ? Pete m'a appelée hier soir pour m'avertir que des types louches rôdaient autour de mon immeuble. J'ai jugé plus prudent de passer la nuit sur son bateau, voilà.

– Dis à Pete qu'il est un dieu. Dis-lui que je suis prête à sacrifier un mouton bien gras et à brûler de l'encens en son honneur, car il est sacré à mes yeux et mérite d'être vénéré comme il se doit !

Emma a écarté le téléphone et je l'ai entendue déclarer, un ton plus bas :

– Cathy dit que tu es un crétin et que tu pourrais quand même installer l'électricité dans cette cabine à la noix.

– JE T'AIME, PETE ! JE T'ADORE ! TU ES UN DIEU ! ai-je vociféré.

– Elle veut aussi que tu me prépares un chocolat chaud, a traduit Emma.

Puis, s'adressant de nouveau à moi :

– Tu disais qu'on a tenté de te tuer, qu'est-ce que c'est que cette histoire ?

Je lui ai fait un bref résumé des événements de la nuit précédente. Même par téléphone interposé, j'entendais le cerveau d'Emma entrer en ébullition.

– Dieu merci, tu es toujours en vie ! a-t-elle conclu. Waouh. À ton avis, qui t'a débarrassée de ces sales types ?

– Victor, je suppose.

– Et il t'a laissé le soin de faire le ménage derrière lui. Quel macho !

Tout en faisant les cent pas dans la cuisine, j'observais la fine bande de ciel pâle qui croissait rapidement à l'est. Plus le temps passait, plus les cadavres allaient être visibles.

– Est-ce que tu as appelé la police ? m'a demandé Emma.

– Pour leur dire quoi ? Que j'ai eu le malheur d'énerver l'Ancêtre Lu, un vieillard de deux mille ans et des poussières, qui a engagé des Ninjas de location pour m'abattre, mais qu'en fin de compte c'est eux qui se sont fait dégommer par mon immortel de copain qui a disparu dans la nature ensuite ?

– Oui, je vois le problème. Ooo, un bon chocolat chaud ! Merci, Pete.

– Je vais téléphoner à Victor pour lui dire de rappliquer fissa et de m'aider à nettoyer tout ce bazar. En attendant…

Ma phrase est restée en suspens. En attendant : quoi ? Alors qu'Emma pouvait se vanter d'être la meilleure et la plus fidèle amie du monde, elle se retrouvait par ma faute dans le collimateur de l'Ancêtre Lu, et je n'avais aucun moyen de la protéger.

– Oh mon Dieu ! Mon père… Il faut que je l'appelle, s'est soudain exclamée Emma.

– Si ça t'arrange, dis-lui que tu as passé la nuit chez moi, lui ai-je proposé, sachant que M. Cheung ne portait pas Pete dans son cœur.

– Ce n'est pas ça qui m'inquiète, Cathy. Je veux juste savoir si tout va bien pour lui.

Je n'avais pas pensé à ça. Avec un haut-le-cœur, j'ai imaginé M. Cheung se réveillant avec un revolver sur la tempe. Encore pire : et s'il y avait d'autres tueurs postés dans le garage de l'hôpital, attendant tranquillement ma mère à la sortie de son boulot ?

Tant que je resterais ici, tous ceux que j'aimais seraient en danger.

– Bon, écoute, ai-je repris en essayant de raisonner à peu près logiquement. Grâce à Pete, tu es en sécurité. Vérifie du côté de ton père et dis-moi si…

La suite m'est restée coincée en travers de la gorge.

– Je suis vraiment désolée, Emma, ai-je finalement lâché, faute de mieux.

– Pas de panique, Cathy. Ce n'est pas le moment. Bon. Il faut que je te quitte.

– Oui, salut.

La communication était déjà coupée.

Emma poursuivie par des tueurs, Denny à l'hôpital avec un bras en miettes, Tsao se vidant de son sang sur la belle moquette d'un palace… Je n'étais plus un être humain mais un désastre ambulant, un feu de prairie galopant. Tout ce que je touchais finissait carbonisé.

Problèmes capillaires

Je suis allée dans la salle de bains et je me suis regardée dans la glace. Mes cheveux étaient à l'image de mon moral : en berne. Après un instant de réflexion, j'ai hésité entre deux solutions : me faire une queue de cheval ou me raser la tête.

Cathy, n'essaie pas de gagner du temps. Il faut que tu t'occupes de ces corps !

15.

Finalement j'ai opté pour la raie sur le côté et une barrette, puis je suis sortie par la porte de derrière, j'ai longé la maison et jeté un coup d'œil au coin du mur. Les trois cadavres étaient toujours là. Retour à la salle de bains. Après avoir enlevé ma barrette, j'ai décidé de téléphoner à Victor. Malgré l'heure hyper matinale, il a répondu dès la première sonnerie.

– Cathy ? Qu'est-ce qui se passe ? m'a-t-il demandé d'un ton bref, comme s'il s'attendait à mon appel.

– Tu n'es pas au courant ?

La réponse s'est fait attendre. Ces derniers temps, j'étais souvent en butte à ce genre de silence, comme si les gens comptaient jusqu'à dix pour éviter de dire quelque chose qu'ils regretteraient plus tard.

– Il y a une heure, quelqu'un a tué trois personnes sous la fenêtre de ma chambre, ai-je précisé. Je pensais que c'était toi.

– Hein ?!

– Je ne sais pas quoi faire des corps, j'ai juste des poubelles pour recycler le plastique et le papier.

Ma voix commençait à friser l'hystérie ; même moi, j'en étais consciente.

– Ne bouge pas, j'arrive, a tranché Victor.

– Tu n'y es pour rien ?

D'après les bruits que j'entendais, Victor était déjà debout, enfilant son blouson de cuir et attrapant ses clés.

– Écoute, Cathy, il y a une demie heure j'étais devant mon ordinateur, en train de me creuser la tête pour comprendre comment l'Ancêtre Lu a réussi à escamoter tout l'argent que j'avais sur mon compte en banque.

– Oh !

Je me suis rappelée les paroles de Jewel : « *l'Ancêtre Lu a engagé des terreurs de l'informatique.* » Apparemment, ces types ne se contentaient pas d'effacer les casiers judiciaires.

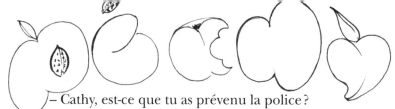

– Cathy, est-ce que tu as prévenu la police ?

– Non.

– Bon. (Grincement de la porte d'entrée, Victor dévalant le perron.)

– Victor, tu n'as tué personne ? (Crissement de pas sur l'allée gravillonnée.)

– Non, pas encore.

Victor a raccroché, me laissant seule dans la maison déserte, avec trois macchabées dans le jardin et rien d'autre à faire qu'à patienter.

J'ai tenté de me recoiffer mais ça n'a pas résolu le problème.

Miroir, mon beau miroir…

J'ai regagné ma chambre et enfilé des vêtements à la va-vite. Surtout ne pas regarder par la fenêtre. Je me suis assise face au miroir de ma commode, toujours démoralisée par l'état de mes cheveux. Je ne les avais pas lavés depuis plusieurs jours, et ma frange pendouillait tristement. J'ai songé à prendre une douche en attendant l'arrivée de Victor, mais s'il fallait que je l'aide à transporter les corps, je me suis dit que j'aurais doublement envie de me nettoyer après ça. J'avais honte de me reposer sur Victor pour régler toutes mes difficultés. Est-ce qu'il en serait toujours ainsi ? Victor avait l'air d'un garçon de vingt-deux ou vingt-trois ans mais il avait plus d'un siècle d'existence. J'aurais beau grandir, mûrir et m'assagir, je resterais toujours un bébé comparé à lui. Tout ce que je gagnerais au fil des années, ce serait davantage de rides.

À nouveau, je me suis emparée du flacon de parfum. La petite bouteille ronde s'est nichée au creux de ma main, telle la pomme empoisonnée que la méchante reine destinait à Blanche-Neige. «Miroir, mon beau miroir, dis-moi quelle est la plus belle du royaume», ai-je murmuré en contemplant mon reflet. J'ai toujours été fascinée par la façon dont les visages vieillissent, et l'expérience m'a appris à déceler la fragilité de mes propres traits, les endroits où la marque du temps serait la plus cruelle : pattes-d'oie autour des yeux, plis de guenon au coin des lèvres et ride du lion à partir de la quarantaine. Charmant bestiaire !

De tous les jobs minables dans lesquels je n'ai même pas été fichue d'assurer, vendeuse en parfumerie a sûrement été le pire. Bien sûr, je n'avais pas fait *exprès* de vaporiser de l'eau de toilette dans l'œil de la maire adjointe, mais j'avoue que j'ai été plutôt contente de me faire virer après ce coup-là. Je n'avais rien contre les ados qui se servaient des exemplaires de démonstration pour se maquiller à l'œil, sauf celles qui ouvraient trop leur gueule quand je les piquais en flagrant délit de vol à l'étalage. Non, ce que je ne supportais pas, c'était les clientes de l'âge de ma mère – des femmes sinistres, autoritaires ou désespérées qui se cherchaient un mari ou s'efforçaient de garder celui qu'elles avaient. On leur vendait des rouges à lèvres, des lotions, des produits pour le corps, des crèmes hydratantes, des sérums antirides, mais en réalité c'était un vaste mensonge, car les hommes ne regardent que les filles de vingt ans. Et la jeunesse, ça ne s'achète pas en tube.

Ma mère avait trente-huit ans quand son mari l'a quittée. Le pire, c'est que ce genre de chose arrive à tout le monde, pas uniquement à celles qui épousent un immortel. Dans vingt ans, Victor aura encore un corps digne de poser dans une pub pour sous-vêtements masculins. Moi, je serai tout juste bonne à figurer sur le site Internet d'un chirurgien esthétique, version AVANT rénovation. J'aurai les seins flasques, les hanches adipeuses, et j'aurai beau me tartiner de crème hydratante, ma peau ne retrouvera jamais sa douceur actuelle.

18. Puisque ma mère n'a pas pu retenir mon père, qu'est-ce qui me permet de croire que Victor restera avec moi ? Mon père m'a affirmé sans ménagement que notre histoire était vouée à l'échec. Après tout, c'est vrai : qu'est-ce que j'ai de spécial, qu'est-ce que j'ai de plus que maman, hein ? Suis-je tellement plus belle, tellement plus radieuse et plus charmante que toutes ces femmes que leur mari abandonne au profit d'un modèle plus récent ?

Jusqu'à présent je n'ai pas beaucoup parlé de sexe. C'est un sujet embarrassant. Pour moi, une grande part du désir est liée au fait de se sentir désirée. L'envie de l'autre, c'est l'étincelle qui met le feu aux poudres. Dans le cas des immortels, le désir semble faire partie de ces choses qui s'éteignent inexorablement. Un jour, Tsao m'a dit qu'au bout de mille ans d'existence, son sang avait fini par se transformer en cendres. À la réflexion, c'est seulement après que Jewel l'a aspergé de sérum de mortalité qu'il a commencé à sortir de ses gonds, à se montrer grossier, à sentir l'aiguillon brûlant du désir ; bref, à laisser libre cours à ses émotions.

Que se passera-t-il si ce que j'éprouve pour Victor – pas l'affection, non, l'autre sentiment beaucoup plus dangereux, l'électricité, les picotements, le cœur qui bat à la surface de tout le corps – se révèle en définitive un simple feu de paille ? Une flamme qui s'éteint après un an ou deux, le plongeant pour sa part dans l'ennui et l'insatisfaction, me laissant pour la mienne dans l'espoir de son désir, telle une bougie attendant une allumette qu'on ne frottera jamais ?

Franchement, c'est sans doute comme ça que ça va se passer, non ? Pour l'instant, il me dit qu'il m'aimera toujours. Peut-être même croit-il sincèrement qu'on pourra rester ensemble mille ans. Mais la dure vérité c'est que, moi, je passerai neuf cent trente ans dans une urne sur le dessus de sa cheminée.

C'est pour cette raison, entre autres, que je n'ai pas avoué à Victor que je détenais le sérum de mortalité. Lui, il ressemblera toujours au prince charmant, mais ma condition de princesse est condamnée à se détériorer à chaque bougie d'anniversaire en plus. J'ai rangé le flacon de parfum dans mon sac. Toute femme sait pertinemment que, tôt ou tard, le miroir lui révélera qu'elle n'est plus la plus belle du royaume. En prévision de ce jour, un fruit empoisonné peut s'avérer fort utile.

Arrivée de Victor (Heure du copain éternel)

— Tu en as mis, du temps ! ai-je pesté quand Victor s'est enfin pointé à la porte d'entrée.

Je ne comptais pas prendre un ton accusateur, mais c'était plutôt raté.

Il a pris mon visage entre ses mains :

— Ça va ?

Au contact de ses doigts, ma peau s'est mise à rougir et à picoter. Quelle injustice ! Je me suis reculée :

— Non, ça ne va pas ! Pas du tout, du tout !

Je l'ai conduit vers l'étroite bande de pelouse qui longe la maison, entre le mur de ma chambre et la barrière de nos voisins, les O'Malley. Il faisait grand jour à présent, et la rumeur de l'autoroute s'intensifiait. De la rue, les corps étaient en grande partie cachés par notre compteur électrique, mais en regardant bien on voyait dépasser une paire de jambes et une face blafarde. Du coup, j'avais été chercher la brouette dans le garage et je l'avais placée devant pour faire écran.

Victor a contourné le climatiseur et s'est agenouillé pour examiner les cadavres. En l'occurrence une femme et deux hommes. Le premier était un Blanc d'une vingtaine d'années, coiffé en brosse, sans doute un ancien marine à en juger par l'ancre et la mappemonde tatouées sur son avant-bras. Il avait la nuque brisée. Le second, la quarantaine bien tassée, était un Latino au visage grêlé et au corps baraqué. La femme était chinoise. Trente, trente-cinq ans, silhouette trapue. Un revolver muni d'un silencieux gisait près de sa main droite, dont les doigts étaient cassés.

Victor a palpé les trois morts, enlevant à chacun un pistolet et aux deux hommes un couteau de combat. Ses gestes étaient vifs et précis. De toute évidence, ce n'était pas la première fois qu'il faisait ça. Je me suis efforcée de regarder

20.

ces corps avec une certaine distance, d'installer une cloison opaque entre eux et moi : *je refuse de m'intéresser à ça, je ne suis pas là, je ne ressens rien.*

Avec délicatesse, Victor a passé la main sous l'encolure de la femme et tiré sur une cordelette en soie au bout de laquelle pendait une pièce de monnaie chinoise.

– Hé, mais c'est la même que celle que tu m'as offerte hier ! ai-je observé, louchant malgré moi sur le pendentif qui luisait dans le soleil matinal. Tu m'as dit que c'était un porte-bonheur.

Victor a eu l'air un tantinet gêné.

– Mmm.

À mon tour, j'ai passé les doigts sous mon chemisier pour exhiber mon pendentif. Les deux pièces étaient rigoureusement identiques.

– Dis-moi la vérité, Victor : tu ne l'as pas acheté à la boutique-cadeaux de l'hôpital, hein ?

– Pas vraiment.

J'ai jeté un coup d'œil aux cadavres et instinctivement porté les mains à mon cou afin de me débarrasser de ce bijou, puis je l'ai jeté dans l'herbe avec dégoût, comme s'il s'agissait d'un collier d'araignées.

– Qu'est-ce que c'est que ce truc ? ai-je fulminé.

– Un badge Lucky Joy Cleaners, m'a avoué Victor en soupirant.

– Une société de *nettoyage*?

Victor s'est assis par terre et a examiné les deux disques de bronze, les faisant tourner entre ses doigts bronzés.

– Pas le genre de nettoyage que tu crois, Cathy.

Il m'a fallu quelques secondes pour comprendre ce qu'il voulait dire.

– Ah, je vois, ai-je soufflé.

Victor a fourré les deux pendentifs dans sa poche.

– Hier j'ai surpris un de leurs agents en train de rôder dans

21.

l'hôpital, m'a-t-il expliqué. J'avais déjà vu ce type chez l'Ancêtre Lu. Je l'ai attiré dans un coin et je l'ai, euh, convaincu de s'en aller. C'est de là que vient ton pendentif.

– Mais pourquoi est-ce que tu m'as donné ce truc ?

– J'ai cru qu'un petit cadeau te ferait plaisir. En plus, je me suis dit que, s'ils te trouvaient, ils hésiteraient à te faire du mal en voyant ce badge, ou du moins qu'ils perdraient du temps à en référer au quartier général pour demander des instructions.

Victor a marqué une pause et balayé du regard les trois corps étendus sur la pelouse.

– Normalement, ces gars-là font bien leur boulot. À l'heure qu'il est, tu devrais reposer au fond de la baie dans un grand sac plastique…

– Seulement ils sont tombés sur un os, on dirait.

Victor a ramassé le revolver équipé d'un silencieux et éjecté le chargeur. Puis il a compté les balles.

– Il n'y a pas eu de coups de feu, m'a-t-il informée. Celui qui a fait ça est un rapide.

– Aussi rapide qu'un immortel, ai-je insinué.

– Ou bien un flic avec de super réflexes. À moins que ce ne soit Jun ?

Cette hypothèse m'a fait frémir. Jun était la fille de l'Ancêtre Lu. Lors de notre dernière entrevue, elle avait failli me tuer. Je dois préciser à sa décharge que ce n'est pas après moi qu'elle en avait. Celle qu'elle visait, c'était Petite Sœur, l'autre fille de l'Ancêtre Lu, une gamine de dix ans qui se trouve être mortelle. Jun estimait que l'amour de son père pour cette enfant le poussait à commettre toutes sortes d'extravagances. Selon sa logique personnelle, elle avait donc décidé de résoudre la question en éliminant la cause du problème. Je commençais à croire que ce type de comportement, à la fois rationnel et psychotique, était la marque de fabrique des immortels.

– D'un point de vue purement technique, ai-je repris, Jun

devrait jouer dans le même camp que nous. Mais même si elle désapprouve à cent pour cent les agissements de son père, je l'imagine mal dans le rôle de mon garde du corps.

— Je lui ai demandé de veiller sur toi, a lâché Victor sans me regarder.

Un petit malin a dû tirer la sonnette d'alarme dans la cafetière qui me sert de cervelle, car tout à coup, j'ai eu du mal à m'entendre réfléchir.

— Attends…, ai-je amorcé. Tu as parlé à Jun ?

— Elle est farouchement opposée aux projets de son père. D'après elle, l'utilisation du sérum de mortalité est un crime qui déshonore sa famille. Et vu les circonstances, je me suis dit que son aide ne nous serait pas de trop.

— Nous ? C'est qui « nous » ? me suis-je insurgée. Est-ce que je suis censée faire partie de ce « nous » qui a décidé d'impliquer Jun dans notre histoire ? C'est drôle, je ne m'en souviens pas.

Victor s'est penché sur les deux hommes et leur a enlevé le badge Lucky Joy Cleaners qu'ils portaient autour du cou.

— Écoute, Cathy, on n'est pas mariés, et ce n'est pas toi qui signes ma feuille de salaire, OK ? Je ne vais pas t'envoyer un compte-rendu de toutes les conversations que j'ai eues en ton absence. Je crois que ça (mouvement de tête vers les trois cadavres) prouve amplement que Jun peut nous être utile. Après tout, qu'est-ce que tu lui reproches ?

D'être belle, immortelle et mille fois mieux placée que moi pour être la copine de tes rêves.

— Elle a de trop beaux cheveux, me suis-je contentée de marmonner.

Victor m'a regardée d'un air incrédule.

Ce que les garçons peuvent être bêtes !

23.

La Brouette

On s'est servi de la brouette pour véhiculer les corps jusqu'au garage. Entreprise difficile, car la brouette n'arrêtait pas de basculer d'un côté ou de l'autre à cause de la charge mal équilibrée.

Pas envie de m'étendre sur le sujet.

Congé pour mauvaise conduite

Victor m'a demandé d'aller chercher des sacs poubelle et de l'eau de Javel. Puis il m'a ordonnée d'attendre à l'intérieur de la maison pendant qu'il entassait les cadavres dans le coffre de sa voiture. Un quart d'heure plus tard, je l'ai entendu frapper discrètement à la porte de service.

– C'est bientôt fini, m'a-t-il annoncé.

Nos regards se sont croisés. Pour un immortel doté d'une faculté de récupération hors norme, il avait l'air affreusement fatigué.

– Tu devrais te changer, a-t-il ajouté. Débarrasse-toi de ces vêtements. Ils ont sans doute gardé certaines traces compromettantes.

Certaines traces. Doux euphémisme pour lambeaux de peau, fibres de tissu et cheveux pleins de sang.

– D'accord, ai-je répondu.

Je lui ai demandé de me déposer à l'hôpital, sous prétexte de m'assurer que tout allait bien du côté de maman. Ce n'était pas entièrement vrai, mais comme Victor n'avait pas été d'une franchise absolue à propos du pendentif, on était quittes. La vérité, c'est que j'avais envie de disparaître. Il me paraissait clair, maintenant, que je ferais courir un risque à tous ceux que j'aimais tant que je resterais dans les parages. L'ennui, c'est que je n'avais pas de quoi me payer un billet d'avion et que je ne pouvais décemment pas voler la voiture de ma mère pour filer à l'autre bout du pays. C'est là que Denny entrait en jeu. Jewel avait eu raison de m'accuser d'avoir entraîné son frère dans mes galères personnelles. La moindre des choses, c'était de le ramener au Texas pour lui éviter des ennuis avec la justice – en admettant qu'on puisse être en sécurité dans un État où il fait une chaleur à crever et où la salade se mange sous forme de gelée.

La meilleure stratégie, c'était de quitter la Californie le plus vite possible, Denny au volant, moi à la place du mort, et de prendre l'autoroute direction le Texas. À mi-chemin, je profiterais d'un moment où il dormirait pour m'esquiver à la faveur de la nuit, si bien que ni lui ni Jewel ni aucune personne de mon entourage n'entendrait plus jamais parler de moi.

L'autre Homme

Il était 6 h 40 quand Victor m'a déposée devant l'hôpital. J'étais un peu en dehors des horaires de visite mais les infirmières me connaissaient, et j'ai gagné des points en leur racontant que, comme maman terminait à 7 heures, je m'étais arrêtée au passage, histoire de la raccompagner après sa dure nuit de boulot. Elles se sont extasiées sur ma gentillesse et m'ont dit qu'elles rêvaient d'avoir une fille comme moi.

Si elles avaient su…

Bon. J'avais vingt minutes pour monter voir Denny en douce et jeter les fondations de mon projet. Quand j'ai passé la tête dans sa chambre, Denny était debout à la fenêtre, vêtu d'une chemise de nuit d'hôpital en papier bleu qui découvrait ses mollets poilus. Avec son mètre soixante-quinze, ses quatre-vingt quinze kilos de muscles et son corps trapu couvert de cicatrices, il était l'image même du mec abandonné tout bébé dans une décharge et élevé par une meute de réfrigérateurs. Il avait le bras gauche plâtré du poignet jusqu'à la naissance du biceps, lequel était barré d'un tatouage proclamant Marche ou Crève. C'est bien ce qui risquait de lui arriver s'il restait trop longtemps avec moi.

– Quand les créateurs de mode iront en enfer, tous les

mannequins de podium auront la même touche que toi, lui ai-je lancé.

Denny s'est retourné. Son visage était impressionnant : meurtri, marbré et bouffi comme un régime de bananes ayant dépassé la date limite de consommation depuis un bail. Il a grimacé un sourire douloureux :

– Oh, punaise, me fais pas rire, Cathy !

– Tu as toujours l'intention de rentrer chez toi demain ?

– Ça dépend si tu comptes rester longtemps ou pas dans cette pièce. Chaque fois que tu es là, je me fais tabasser par un mec.

Ça a été mon tour de grimacer. En effet, Victor lui avait fichu une raclée deux jours plus tôt, et Tsao lui avait brisé le coude et le poignet la veille, à l'occasion de funérailles strictement réservées aux non-mortels.

– Si ça peut te consoler, le type qui t'a cassé le bras est mort, l'ai-je informé.

– Ouais. Emma et les autres m'ont mis au courant.

Denny s'est palpé la mâchoire avant d'ajouter :

– Paraît que c'est Jewel qui lui a fait la peau ?

– C'était de la légitime défense.

– Elle ne sera plus jamais la même après ça. Tuer un homme, ça te change. C'est un truc qui te pourrit la vie.

– Je te jure que c'était un cas de légitime défense, ai-je insisté. Ce n'est pas Jewel qui…

– Jewel…, a sifflé Denny en fermant les yeux, l'air exténué.

– Il voulait la balancer par la fenêtre du treizième étage !

Je lui ai pris la main (la bonne) et l'ai serrée avec insistance, comme pour renforcer la vérité de mes paroles.

– Crois-moi, Denny : si ta sœur n'avait pas appuyé sur la détente, on serait mortes toutes les deux.

– Tu as raconté ça aux flics ?

– Pas exactement.

Vu le coup d'œil qu'il m'a jeté, je me suis dépêchée de développer :

26.

– Il est hors de question de parler des immortels, tu le sais bien. Si on avait raconté exactement ce qui s'est passé aux flics, soit ils nous auraient accusées d'outrage à magistrat, soit ils nous auraient passé la camisole de force et conduites direct chez les fous.

Denny a baissé les yeux et contemplé ma main sur la sienne, puis il m'a regardée en face, le visage encore plus ravagé par l'inquiétude qui s'y lisait.

– Et toi ? m'a-t-il questionnée. Tu es sûre que ça va ?

– Oui, ne t'en fais pas pour moi.

– Je me souviens de la première fois que j'ai vu un type se faire descendre… (Denny a retiré sa main et l'a passée sur sa barbe de trois jours.) Ça m'a fait un sacré choc, tu sais.

– Tu avais quel âge ?

– Sept. Non, c'est faux. Six ans, je crois bien.

Cette précision m'a choquée. Une fois encore, j'ai compris que j'étais à mille lieues d'imaginer la jeunesse que Jewel et Denny avaient eue. J'ai pris une profonde inspiration :

– Jewel m'a téléphoné hier soir. Du Texas.

Encore heureux que ce mensonge éhonté m'ait été dicté par la noble motivation de sauver la vie de Denny, sinon je me serais sentie aussi minable qu'un Kleenex usagé.

Le frère de Jewel m'a néanmoins décoché un regard soupçonneux :

– Du Texas ? Elle a fait vite, dis donc. Elle t'a filé son adresse ?

– Non. Tout ce que je sais, c'est qu'elle appelait d'un bar.

Ses lèvres gonflées ont esquissé un vague sourire, et toute méfiance a disparu de ses yeux.

– Ça m'étonne pas d'elle.

– Elle voulait te rassurer sur sa bonne arrivée et te dire de rappliquer avant que ton agent de probation s'aperçoive que tu as quitté l'État. Et… euh… j'aimerais bien que tu m'emmènes avec toi.

Denny m'a dévisagée pendant un bon moment. Je savais

Je suis **top SEXY** *dans ma chemise de nuit d'hôpital !*

27.

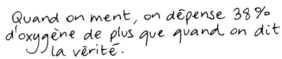

Quand on ment, on dépense 38%
d'oxygène de plus que quand on dit
la vérité.

qu'il avait un faible pour moi (les filles ont le chic pour sentir ça) mais là, il ne me regardait pas l'air de dire, « super, j'emballe », ou « pas de problème ma poule, je suis disponible » ou (la version que je déteste par-dessus tout) « si tu aimes le mystère, je suis ton homme ». Non, c'était juste un examen sérieux, posé, réfléchi.

– J'ai pas l'habitude d'avoir une chambre rien que pour moi quand j'échoue à l'hosto, m'a-t-il dit tout en se traînant vers la petite salle de bains adjacente à son lit. En général, ils me rafistolent dans le couloir des urgences avant de m'éjecter. Ici c'est top classe.

– C'est Victor qui paie. Ne t'inquiète pas, il est bourré de fric.

Enfin, il l'était jusqu'à ce que les cyberterreurs de Lu assèchent son compte bancaire, mais Denny n'avait pas besoin de le savoir.

Je l'ai vu sourciller devant le portrait style Francis Bacon que lui a renvoyé le miroir du lavabo. Puis il a pris le rasoir jetable gracieusement fourni par l'hôpital et a essayé d'ouvrir l'emballage d'une seule main.

– Euh, tu veux bien…?

J'ai déchiré la cellophane avec mes ongles brevetés spécial fille et lui ai tendu l'objet en chantonnant :

– La première lame fauche les poils, la deuxième les décapite à la racine, la troisième les rassemble pour en faire des petite bottes, et la quatrième…

– Les transforme en mouches pour la pêche à la truite revendues au marché noir, a complété Denny.

Avec d'infinies précautions, il a appliqué de la mousse à raser sur ses joues meurtries.

– En admettant que tu viennes avec moi, va falloir te trouver un appart', une fois sur place, a-t-il ensuite lâché mine de rien.

Je me suis imaginée, me réveillant dans un appartement que je partagerais avec quelqu'un d'autre que ma mère ; bruit de la machine à café dans la pièce d'à côté et musique western country à la radio. Au petit-déjeuner : saucisse et œufs brouillés. J'attraperais mon tablier de serveuse et je partirais bosser à l'Armadillo Ranch ; au passage, je déposerais Denny à l'atelier de carrosserie où il travaillerait. Pour une fois, je menerais une vie normale, sans avoir à penser à Victor, à mon père ou aux autres immortels. Je ne me soucierais plus de contribuer à la fortune d'Emma ou de sauver le monde. Ma mère se débrouillerait très bien sans moi, je pourrais faire semblant de n'avoir jamais rencontré l'Ancêtre Lu et de me dire que Victor ne m'avait jamais aimée. Pas réellement.

– Un appart' ? ai-je repris. Peut-être. Je ne me projette pas aussi loin.

– Tu t'es disputée avec Victor ? m'a demandé Denny en s'emparant du rasoir.

– Non ! Pourquoi cette question ?

Denny a laissé courir la lame le long de sa joue. Une bande de peau bleuâtre est apparue sous la mousse.

– Tu connais la tactique de Jewel ? m'a-t-il lancé. Chaque fois qu'un mec la vire de chez lui à l'aube, elle se retrouve dans le pieu d'un autre le soir même.

– Je ne suis pas comme ta sœur, je te signale !

Nos yeux se sont croisés dans la glace.

– Hum-hum, a émis Denny.

– Écoute, je ne cherche pas à draguer mais à rester en vie, d'accord ? La nuit dernière, l'Ancêtre Lu m'a envoyé ses tueurs. Si je reste dans le coin, ils ne me lâcheront pas. Ni moi ni les gens que j'aime bien.

– Ah. Alors t'as raison de t'accrocher à moi.

Oups !

– Ce n'est pas ce que je voulais dire, Denny.

– Bien sûr que si.

Il a levé le menton pour se raser le cou, exposant à la lame sa veine jugulaire qui palpitait comme un petit oiseau affolé. Sous ses dehors de gros dur, Denny n'était qu'un homme – un homme dont les rêves et les espoirs n'étaient protégés que par une

Hamburger Girl

Cathy Sue

pour noter les commandes dans sa tête.

pour éponger le café, la bière et les crachats des gros ploucs.

fine enveloppe de peau. Le manche du rasoir paraissait fragile et minuscule dans sa main aux doigts zébrés de cicatrices et aux ongles maculés de cambouis.

– Je comprends très bien, a-t-il poursuivi. Parfois, on a l'impression de bousiller tout ce qu'on touche.

– Ouais.

Denny a tapoté le rasoir sur le bord du lavabo avant de s'attaquer au reste de sa barbe. De petits grumeaux de mousse et de poils ont lentement dévalé la pente émaillée.

– Tu veux qu'on embarque Emma ?

– Surtout pas ! Personne n'est au courant de ce projet. Jure-moi de n'en parler à ni à Emma, ni à Pete, ni à ma mère.

– Ni à Victor ? a ajouté Denny en captant mon regard dans le miroir.

– Ni à Victor.

– C'est pas que je me la pète mais…

Il a rincé le rasoir avant de le jeter dans la petite poubelle en plastique bleu qui se trouvait sous le lavabo, puis m'a fixée droit dans les yeux :

– J'aime pas qu'on me prenne pour un lot de consolation, OK ?

Soins Intensifs (Heure de m'occuper de Ma Mère)

Denny m'a dit qu'il allait signer une décharge pour qu'on le laisse sortir de l'hôpital dès le lendemain matin. J'avais donc vingt-quatre heures devant moi pour régler les préparatifs de mon départ avant qu'il passe me prendre avec sa Mustang. On s'est serré la main pour sceller notre accord, et je suis partie rejoindre ma mère en courant.

Je suis arrivée pile au moment où elle paraphait le registre des infirmières. Elle avait l'air épuisée, et sa blouse était constellée de taches rouges et brunes, visiblement récentes. Il faut être sacrément solide pour travailler dans une unité de soins intensifs. Doris, sa

collègue, m'a aperçue la première et m'a adressé un clin d'œil.
Maman s'est retournée :

– Cathy ! Qu'est-ce que tu fais là ? Tu es malade ?

– Je vais très bien. Mais comme je passais dans le quartier, je…

– À sept heures du matin ?

Ma mère a posé la main sur mon front, histoire de voir si j'avais de la fièvre.

C'est vrai que je ne suis pas du genre lève-tôt.

– En fait, je suis sortie très tard, ai-je rectifié.

Elle a plissé les yeux :

– J'espère que je ne vais pas trouver un test de grossesse en fouillant dans la corbeille de la salle de bains ?

– Aucune chance, je l'ai balancé dans la poubelle des Mueller.

– Cathy !

– Je rigole ! Je te jure que je ne suis pas enceinte, maman.

Malgré tout, elle a continué à m'observer d'un œil sceptique.

– À cette heure-ci tu n'es jamais levée, d'habitude.

– Eh ! a fait Doris. Puisque ta gamine n'est ni droguée, ni enceinte, ni blessée…

– Je ferais mieux de m'estimer heureuse et de la fermer, c'est ça ? a complété ma mère en plongeant derrière le comptoir pour attraper son sac. Ce serait sans doute abuser de te demander ce que tu fais de tes journées – sans parler de tes nuits.

– Franchement, je préfère laisser ça à ton imagination, maman, ce sera sûrement plus glamour.

J'ai empoigné le sac de sport dans lequel elle met ses vêtements de rechange et on s'est dirigées vers l'ascenseur. Je n'avais jamais remarqué qu'il y avait une caméra de vidéosurveillance à l'intérieur.

– Dis-moi, maman, tu n'aurais pas aperçu quelqu'un de bizarre la nuit dernière ?

– Attends un peu… Deux jeunes qui se sont bagarrés à la sortie d'un bar – nombreuses coupures dues à des bris de verre pour le premier, et, pour le second, collapsus provoqué par une balle dans le poumon droit. On a eu aussi un accident de voiture – un seul véhicule impliqué, Dieu merci – et une crise cardiaque. La routine, quoi.

– Tu n'aurais pas croisé quelqu'un qui portait une pièce chinoise en pendentif, par hasard?

– Tu crois que Victor en offre à toutes les filles de son entourage? (maman m'a caressé les cheveux avec tendresse). Écoute, ma puce, je t'ai prévenue: ça ne durera pas, entre toi et lui. Tu ferais mieux de sortir avec des garçons de ton âge.

– Tu sais quoi, maman? Je trouve que c'est un très bon conseil.

*

Personne ne nous a assassinées dans le parking. Ouf!

Mensonge

En arrivant chez nous, j'ai préparé un rapide petit-déjeuner à maman. C'était mon dernier jour à la maison, mais je lui ai fait cuire ses œufs comme si de rien n'était. En dépit de sa méfiance naturelle, ma mère ne s'est doutée de rien. Tout en mangeant et buvant son déca, elle parlait de la pluie et du beau temps, énumérait les différentes corvées que j'étais censée faire. Moi je me contentais de l'écouter, souriante, en hochant la tête. Son assiette terminée, maman s'est levée et dirigée d'un pas fatigué vers sa chambre.

– Bonne nuit, chérie, m'a-t-elle dit avant de refermer sa porte. À plus tard.

– C'est ça, maman, à plus.

J'ai toujours été très forte pour mentir. Avant j'en étais fière. Aujourd'hui, plus du tout.

33.

La Chasse au Cash (Heure des Souvenirs à vendre)

C'est triste à dire, mais après tout un été de petits boulots plus ennuyeux et débilitants les uns que les autres, je n'avais même pas de quoi m'acheter des sous-vêtements d'occasion, vu l'état de mon compte en banque. Conclusion : pour avoir de l'argent, j'allais devoir vendre quelques trucs. Je tenais trop à mon ordinateur portable et à mon matériel de dessin pour m'en séparer. À part ça, mes biens personnels se résumaient à des fringues un tantinet excentriques dénichées dans des friperies, et suffisamment de pots de gel modelant, décoiffant et ultra fixant pour coiffer à l'iroquoise un troupeau entier de bisons. J'avais cependant un atout : au grenier, une collection d'œuvres originales de Michael Vickers. À la mort de mon père, il ne me serait jamais venu à l'idée de vendre un de ses tableaux. Si j'avais su que sa crise cardiaque n'était qu'une pure mise en scène, j'aurais allègrement fourré toutes les toiles dans un distributeur automatique en échange d'une canette de soda ou d'un paquet de chips.

J'étais en train de regarder les tableaux paternels quand mon téléphone a sonné. Voyant que c'était Emma, j'ai bondi sur l'appareil :

– Salut, Em'. Est-ce que ton père… ?

– Oui, tout va bien, m'a-t-elle annoncé à mon grand soulagement. Je l'ai installé au Motel 6 sous prétexte qu'on allait désinfecter l'appartement par fumigation.

– Génial.

J'ai continué à déambuler dans l'atelier, le portable calé contre mon oreille. Comme d'habitude, une foule de souvenirs hantait les lieux : l'odeur de la peinture à l'huile et de la térébenthine, les reflets du soleil sur les pots de confiture remplis de brosses et de pinceaux, les petits tubes de couleurs aux noms connus des seuls artistes : vert cinabre, jaune de cadmium, rouge alizarine, etc. Et bien sûr, l'image de mon père gisant sur le parquet, les mains crispées, le teint gris terne, les lèvres bleu céruléen.

34.

– Qu'est-ce que tu fais ? m'a interrogée Emma.

Une série de toiles étaient appuyées contre le mur, certaines achevées et encadrées, d'autres moins abouties, simplement sur châssis. Je les ai rapidement passées en revue afin de sélectionner celles qui me paraissaient monnayables.

– Du ménage, ai-je répondu à mon amie (ça sonnait mieux que « voler les morts »).

– Du ménage, *toi*?

– Oh, ça va !

Je me suis arrêtée devant un portrait d'aigrette que mon père avait peint quelques mois avant sa pseudo-mort. De bonne facture, un peu à la manière de Robert Bateman. Je l'ai mis de côté.

– J'ai un besoin d'argent assez urgent, Em'. Comment je pourrais m'en procurer ? Tu as des idées ?

– En travaillant, par exemple.

– Théoriquement c'est un bon plan, mais techniquement parlant, le boulot et moi ça fait deux.

Soupir d'Emma :

– Si tu veux, je peux te dépanner de quelques dollars. C'est pour quoi ?

Pour ne plus jamais te revoir.

– Oh, rien de spécial.

– Du matériel de peinture, c'est ça? a avancé Emma. Écoute, je sais que la peinture à l'huile n'est pas donnée, mais c'est un investissement rentable. D'après mon étude de marché, ça se vend bien. Seulement, il faut aussi que tu t'investisses personnellement. Trouve un fournisseur sur Internet, et je t'achète des pinceaux et des tubes de qualité.

– Mais Emma, tu es aussi fauchée que moi !

– Il y a toujours les cartes de crédit.

– Tu HAIS les dettes, Em'. À moins que… De quelle carte as-tu l'intention de te servir ?

35.

– La Visa ! m'a joyeusement annoncé Emma.

– Attends une seconde. Ne me dis pas que tu utilises celle de Tsao ?

– Non ! Jamais de la vie ! D'un autre côté, il n'a plus besoin d'argent, *lui*.

– C'est Pete qui t'a donné cette idée ?

J'ai découvert que mon portable possédait un canal spécial, capable de propager les ondes du Souverain Mépris.

– *Pete?* Me donner une idée, à *moi*? s'est offusquée Emma.

– OK, laisse tomber.

Si ma chère amie se lançait un jour dans une carrière d'escroc, cela relèverait entièrement de sa décision ; elle infesterait le marché grâce à un business plan diabolique et une panoplie de tableurs archisophistiqués.

– Tu dors sur le *Clair de lune*, ce soir ? ai-je voulu savoir.

C'était le nom du petit voilier sur lequel vivait Pete. Celui avec le hamac d'où Emma s'était cassé la figure le matin même, histoire de bien démarrer la journée.

– Oui, je crois. En fait, Victor a appelé Pete pour qu'il essaie de comprendre ce que les geeks de l'Ancêtre Lu ont fait de son argent. Tu t'en sors ? a demandé Emma en aparté.

Emma est partie dans des explications compliquées, et j'ai vite décroché. Le jargon informatique, c'est du chinois pour moi, même en auditeur libre. J'ai sélectionné d'autres tableaux, me limitant essentiellement aux huiles joliment encadrées : un couple de chardonnerets, un chat-huant peint en plan rapproché pour mieux souligner le regard quasi psychotique des rapaces nocturnes, un faucon à queue rousse, ainsi qu'une œuvre plus ancienne, exécutée à l'aide de petites touches, datant de la période impressionniste de papa. Il y avait également deux scènes de genre assez curieuses, situées dans les années 1930. L'une représentait un combat de boxe : sur le ring, les adversaires s'affrontaient sous les yeux d'une foule de gens habillés comme pendant la Grande

Dépression, avec de longs manteaux et des chapeaux mous.

À la réflexion, ce n'était peut-être pas une scène de genre ; pour autant que je sache, mon père avait très bien pu peindre cette toile en 1931. Je me suis surprise à l'imaginer à cette époque, identique à lui-même, mais vêtu d'un costume en laine et coiffé d'un feutre à larges bords, utilisant un de ces vieux téléphones en bakélite sur lesquels on composait les numéros en tournant un cadran au lieu d'appuyer sur des touches. Pas d'ordinateurs. Pas de télévision.

Je me suis dit que, pour les immortels, l'histoire devait s'apparenter à une succession de saynètes semblables aux dioramas des musées ou aux attractions d'une fête foraine. Au bout d'un moment, on se lasse des soi-disant nouveautés, sachant que tout ce qui est à la mode ou d'actualité sera forcément dépassé, obsolète ou tombé dans l'oubli quelques années plus tard.

Sur l'autre tableau datant de la Grande Dépression figurait une gargote signalée par une enseigne au néon ; sur le comptoir, on distinguait un siphon d'eau de Seltz. C'était une scène de nuit dans une grande ville quelconque, par temps de pluie. À l'intérieur du resto, un représentant de commerce avec une mallette bas de gamme était perché sur un tabouret recouvert de skaï rouge, une tasse de café à la main, une cigarette au bec, portrait typique de l'homme seul et sans foyer.

– Cathy ?

– Excuse-moi, Em'. Qu'est-ce que tu disais ?

– Je disais que si ce n'est pas Victor qui a refroidi ces sales types, ça doit être ton père.

– Impossible.

Les yeux à demi fermés, j'ai essayé d'imaginer papa se bagarrant avec une bande de tueurs à gages. Quelle idée absurde ! Mettre un oiseau blessé dans une boîte à chaussures et le soigner jusqu'à sa guérison : ça oui, c'était mon père. Mais buter trois personnes de sang-froid, aucune chance.

– Tu le prends encore pour un aimable quadragénaire qui

37.

aime peindre des oiseaux, a argumenté Emma. N'oublie pas que c'est un immortel, Cathy. Il a connu plusieurs guerres. Il a même été conquistador, non ?

C'était vrai. J'avais trouvé quelques dessins de lui datant de l'Inquisition, c'est-à-dire cinq cents ans plus tôt. Des croquis de plantes et d'animaux du Nouveau Monde exécutés lors d'une expédition forcée que dirigeait Ponce de León, alors en quête de la Fontaine de jouvence.

– Il n'était pas soldat. C'était un simple guide, ai-je objecté.

– À l'époque, peut-être. Mais après ? On ne peut pas vivre aussi longtemps sur terre sans tuer des hommes, Cathy. Victor aussi a participé à des tas de conflits, et ton père a des centaines d'années de plus que lui.

– Oui, mais je…

– Il a sans doute traversé la rivière Delaware avec Washington pendant la guerre d'Indépendance, a poursuivi Emma, intarissable, avec son plus bel accent british. Ou bien il l'a attendu de pied ferme dans l'uniforme rouge des Anglais, persuadé d'avoir choisi le bon camp.

Quand il se battait, Victor avait le don de ralentir le temps et de figer ses ennemis dans une quasi-immobilité, ce qui lui assurait la victoire à tous les coups. C'était horrible de penser que mon père aurait pu user de ce genre de subterfuge, mais au fond de moi je savais qu'il en était capable.

Finalement, c'était peut-être bien lui qui avait réduit les trois tueurs à l'état de poupées démantibulées.

– C'est un immortel, Cathy !

– Donc il n'accorde pas beaucoup de prix à la vie humaine.

– Je n'ai pas dit ça !

– Mais moi, oui.

Nouveau soupir d'Emma :

– Écoute, ça ira mieux quand tu te seras un peu reposée.

– Emma ?

– Oui ?

Merci, ne lui ai-je pas dit. Sans ce départ forcé, je t'aurais avoué à quel point ton amitié compte pour moi. De nous deux, tu as toujours été la meilleure, Emma. Non seulement au plan intellectuel mais moral. Tu es plus forte que moi, tu as plus de principes. J'aurais aimé te dire que tu devrais t'habiller plus souvent en rouge ; cette couleur te va si bien. Aussi te faire comprendre combien tu es jolie quand tu t'autorises à sourire. Mais c'est trop tard. Quand tu gagneras ton premier million, je ne serai pas là. Je ne danserai pas à ton mariage ; je ne prendrai pas des photos débiles de tes bébés mignons à croquer. Tu mérites bien plus que je ne t'ai donné. J'ai toujours pensé qu'un jour je te renverrai l'ascenseur, histoire de te prouver que tu n'as jamais tenu un rôle de figurante dans le Cathy Show. Tu en étais le personnage principal.

– Cathy ? Tu es encore là ?

– Euh, oui, excuse-moi.

– Qu'est-ce que tu voulais me dire ?

– Rien d'important. Au revoir, Em'.

J'ai raccroché avant qu'elle m'entende pleurer.

Envol

Une demi-heure après que maman fut partie se coucher, j'étais en route pour South Bay afin de démarcher les galeries susceptibles d'acheter les tableaux de mon père. J'avais l'intention de commencer par Grant, à Mountain View, parce que c'était sûrement là que j'obtiendrais les meilleurs prix. Si ça ne donnait rien, je me rabattrais sur les galeries de Palo Alto. Avec un peu de chance, je pouvais récolter quelques centaines de dollars.

La température extérieure augmentait rapidement. Une fine couche de cendres s'était déposée sur la voiture pendant la nuit, et il planait encore une odeur de brûlé dans l'air. Je me suis arrêtée dans une station-service pour nettoyer les vitres. Ensuite j'ai allumé l'autoradio pour avoir un peu de compagnie, à défaut de celle de mes amis, mais je ne connaissais aucune des chansons. Cela me faisait bizarre de penser qu'à partir du lendemain, je n'aurais peut-être plus jamais l'occasion de revoir ma maison, de bavarder avec Emma ou de me disputer avec ma mère. Pour leur sécurité comme pour la mienne, il était indispensable que je m'éloigne, mais j'avais du mal à accepter le côté définitif de cette rupture. J'espérais secrètement que mon exil ne durerait que quelques semaines, voire quelques mois. Une fois de plus, je prenais mes désirs pour des réalités.

L'Ancêtre Lu n'était pas juste un ennemi redoutable ; c'était un immortel. Autrement dit, pas le genre d'homme à se décourager puisqu'il avait l'éternité devant lui.

Mais pour une fille normale, de surcroît mal coiffée et mal maquillée, l'éternité c'était très, très long.

Je me sentais seule et vaguement hébétée. Ces villes que j'avais sillonnées toute ma vie me semblaient curieusement étrangères, et j'ai eu du mal à retrouver le chemin de la galerie Grant. J'avais beau me dire qu'on avait rebaptisé les rues sans me prévenir, force était de reconnaître qu'on n'avait pas pu changer le plan du quartier. En réalité, c'est moi qui étais devenue une étrangère. J'étais déconnectée, évadée de ma propre vie, dans une sorte d'apesanteur, comme un ballon à l'hélium échappé de la main d'un enfant. Solitaire, je dérivais vers un avenir aussi vide et impalpable que le ciel. Je m'envolais vers le grand silence.

Pertinence contemporaine
(Heure des croquants à l'orange et aux amandes)

La galerie Grant avait changé de nom et s'appelait maintenant Bernini Beaux-Arts et Moka Bar. Ce n'était plus la vieille Mme Grant qui s'occupait de la boutique mais une fille avec des tatouages et un anneau dans le nez, mollement accoudée au comptoir du bar à espresso.

– Nous n'achetons pas de peinture, m'a-t-elle annoncé en avisant mon paquet de toiles sous le bras.

– Pourtant, mon père a souvent exposé ici, ai-je contré.

La fille a jeté un œil aux murs couverts d'affiches de propagande tendance graffiti et de clones de Mark Ryden avant de poser ostensiblement son regard sur le portrait d'aigrette blanche, que je tenais en évidence.

– Ah oui ?

J'ai réfréné une furieuse envie de tirer sur son anneau comme sur un signal d'alarme.

– Est-ce que Mme Grant travaille encore ici ? ai-je voulu savoir.

– Les propriétaires ont décidé d'orienter la galerie vers un concept plus contemporain, m'a-t-elle répondu en guise d'explication.

Puis elle s'est retournée pour déposer un plateau de biscuits branchés sur le comptoir, pile à l'endroit où trônait jadis un présentoir de cartes postales représentant les tableaux des Grands Maîtres. La dernière fois que j'étais venue là avec mon père, nous avions parlé de Franz Hals. En voyant le soleil se refléter sur son large front dégarni, je m'étais demandé comment Hals aurait rendu cet effet. Sans doute par une touche de blanc qui, vue de près, aurait passé pour une tache posée avec désinvolture, mais qui aurait fait admirablement illusion à deux ou trois mètres de recul.

J'ai soulevé ma brassée de tableaux :

– C'est mon père qui a peint ces toiles. Michael Vickers. Grant a vendu pas mal de ses tableaux. Il… il est décédé., ai-je martelé.

Anneau-dans-le-nez a poussé un soupir et s'est de nouveau accoudée au comptoir avant de m'avouer :

– Tout à fait entre nous, je préférerais avoir des oiseaux sous les yeux.

Son regard a erré sur les œuvres criardes et politico-socio-critiques qui s'étalaient sur les murs de Bernini Beaux-Arts et Moka Bar : giclées d'acrylique rouge et vert, personnages stylisés interrogés par la police militaire, slogans activistes, etc.

– Vous savez, a-t-elle repris, je suis des cours dans une école d'art avec ces types. Ils sont complètement dans leur trip, mais franchement j'aimerais bien qu'ils passent moins de temps à me parler de politique internationale et un peu plus à m'apprendre à dessiner. Seulement voilà : c'est ce qui se vend maintenant. Et croyez-moi, je connais Maggie Grant : il n'y a que l'argent qui l'intéresse. De nos jours, les gros clients de la galerie sont des trentenaires bourrés de stock-options Google et ils ne sont pas du genre à investir dans les grues cendrées.

– C'est une aigrette blanche, ai-je rectifié.

– Aucune chance non plus.

Anneau-dans-le-nez m'a tendu la main :

– Je suis Phoebe.

– Et moi, je suis fauchée.

– Normal. Tu veux un croquant ? Aujourd'hui, c'est orange-amandes. Cadeau de la maison, a-t-elle précisé, devant mon hésitation.

– Ah ! (J'ai pris le plus gros). Merci. Je m'appelle Cathy.

– Ouais, je me souviens de t'avoir déjà vue ici avec ton père.

J'ai dû avoir l'air surprise, car elle a ajouté :

– À l'époque, j'avais les cheveux d'une autre couleur et pas encore de body art.

Puis, désignant l'aigrette blanche :

– Je peux t'en donner cinquante dollars.

– Hein ? Mais ce n'est même pas le prix de la peinture !

– Je te l'achète pour le cadre, pas pour la toile, a nuancé Phoebe avec un certain embarras.

Nos regards se sont croisés.

– Mon père a…

J'avais du mal à me rappeler qu'il n'était pas mort. Pas vraiment. Même s'il l'était pour moi, en tout cas.

– Il a passé toute sa vie à apprendre à…

– Je sais, m'a interrompue Phoebe. C'est ça, la vie d'artiste. Et tu le sais aussi, non ?

Bien sûr que je le savais. Van Gogh a vendu un seul tableau avant de se tirer une balle dans le cœur à l'âge de trente-sept ans. Le Caravage est mort en exil, malade et ruiné. *La Muse ne se soucie que de l'art, elle se contrefiche des artistes,* disait mon père. *Elle te presse comme un tube de peinture, jusqu'à ce qu'il n'y ait plus rien à sortir de toi.*

– Les beaux cadres valent cher, a repris Phoebe d'une voix douce. Tu veux bien que je l'emporte dans l'arrière-boutique ?

Il lui faudrait probablement un petit quart d'heure pour retirer la toile de l'encadrement. À moins qu'elle ne la découpe au cutter et ne colle ledit cadre contre le mur, en attendant de l'utiliser pour une autre œuvre – un truc moderne bien trash, un truc qui se vendrait. Quant à l'aigrette blanche, eh bien, elle finirait à la poubelle ou roulée en boule dans la cheminée.

– Non, je ne peux pas… Désolée.

Phoebe m'a regardée en hochant la tête.

– Si tu changes d'avis, reviens me voir.

Peut-être que j'affabule, mais j'ai eu l'impression qu'elle était soulagée.

Art et Artisanat de la High Sierra
(Heure du vieil ami de mon père)

En 1967, George Purefoy, alors étudiant à la London School of Economics, sortit soudain de son cours de politique monétaire internationale et, sans même repasser par chez lui ni dire au revoir à sa fiancée, prit le métro jusqu'à l'aéroport de Heathrow, où il acheta un aller simple pour San Francisco afin de participer à l'Été de l'Amour. Il s'acheta une guitare, prit du LSD, écrivit des poèmes, découvrit que la guitare n'était pas le super piège à filles qu'il avait escompté, laissa tomber la guitare, prit des champignons, fit des dessins psychédéliques aux crayons feutres parce qu'il n'avait pas les moyens de s'acheter de l'aquarelle, rencontra une fille, rompit avec la fille, écrivit des poèmes désespérés, fut réduit à faire la manche et à ramasser des mégots sur le trottoir, commença à lire les bouquins de Gary Snyder, se trouva un boulot de garde forestier dans la High Sierra, se convertit au bouddhisme, se mit à boire du thé vert, se lança dans la calligraphie, fit vœu de silence pendant près de sept mois et travailla pour les services des Parcs nationaux plusieurs années durant, tandis que différents présidents – Nixon, Ford, Carter, Reagan – défilaient à la Maison-Blanche, telle une cohorte de nuages s'enflant puis s'évanouissant au-delà des montagnes. Au printemps 1989, alors que la chute du mur de Berlin et l'invention du téléphone cellulaire lui étaient totalement passées au-dessus de la tête, George Purefoy éprouva une forte envie de regarder le foot à la télé, de réécouter les vieilles chansons des Beatles et de suivre les cours de la Bourse dans le journal, tout en dégustant une bonne tasse de café et un bagel, ce qu'il faisait chaque matin à l'automne 1966, alors qu'il était jeune, brillant et plein d'avenir.

Pendant tout ce temps-là, il n'avait pas perdu une once de son accent britannique.

44.

Il consacra les quinze années suivantes à tenir une galerie qui proposait des cartes postales sur lesquelles figuraient des aphorismes zen, des mugs ornés de dessins amérindiens et des tableaux représentant la faune et la flore californiennes. Mon père avait vendu plusieurs toiles par l'intermédiaire de cette galerie. J'avais donné la priorité à Grant pour des motifs financiers, mais M. Purefoy connaissait mon père depuis longtemps, et même s'il n'entrait pas dans la gamme de prix de Maggie Grant, il demeurait le moyen le plus sûr de me procurer du liquide.

La première chose qui m'a frappée quand je me suis garée devant la High Sierra Gallery, c'est que la devanture aurait eu besoin d'un bon coup de peinture. Le lettrage de l'enseigne, décoloré par le soleil, dénotait un certain laisser-aller. Lorsque j'ai poussé la porte, la cloche (en piteux état elle aussi) a émis une unique note creuse au lieu du joyeux tintement auquel je m'attendais. M. Purefoy n'a même pas levé la tête à mon arrivée. Il se tenait derrière le comptoir, sombrement absorbé dans la contemplation d'une pièce de monnaie – un *quarter* ou un *nickel*, allez savoir. De toute évidence, la galerie avait connu des jours meilleurs. J'ai senti une boule d'angoisse se former au creux de mon ventre. J'avais besoin d'argent, et vite.

– Bonjour, monsieur Purefoy ! ai-je claironné du ton enjoué que j'adoptais pour vendre des beignets glacés au profit du Club artistique de mon école, jusqu'à ce que je m'en fasse éjecter à la suite d'un regrettable incident avec le four à céramique. J'ai quelque chose de formidable pour vous ! »

– Non merci, a-t-il répondu platement. La galerie sponsorise déjà le club de football féminin du coin. Je suis sûr que le fleuriste d'à côté sera ravi de… Oh, mon Dieu, mais vous êtes la fille de Mike Vickers, n'est-ce pas ? s'est-il soudain exclamé en levant les yeux.

Le sang a reflué de son visage, le laissant aussi pâle et décrépit que la devanture de la boutique. Pour faire un portrait sur le vif de

George Purefoy, il aurait fallu employer, non pas de la peinture à l'huile sur une toile, mais un lavis d'encre de Chine sur papier.

– Eh oui, Cathy Vickers en chair et en os, encore plus vraie que nature ! lui ai-je dit en l'irradiant de mon plus beau sourire, histoire de lui inoculer une bonne dose d'enthousiasme. Je vous apporte quelques tableaux que mon père vous réservait spécialement !

La dernière fois que je l'avais vu, M. Purefoy était l'image même du distingué et sémillant galeriste : cheveux poivre et sel, barbe bien taillée et ongles parfaitement manucurés. À présent, ses cheveux blancs tiraient sur le jaune, sa barbe était en friche et ses mains constellées de taches de vieillesse tremblaient tellement que je n'arrivais pas à discerner l'objet qu'elles tenaient. Dans le secteur des arts plastiques, une apparence négligée n'est jamais bon signe. M. Purefoy s'est brusquement retourné et j'ai entendu un léger tintement métallique quand il a posé l'objet en question à côté de la caisse.

– J'ai été navré d'apprendre… pour votre père.

J'ai réussi à garder le sourire :

– Ça a été dur au début, mais cela fait maintenant deux ans, et nous avons surmonté notre chagrin (*d'autant que cet enfoiré n'est pas mort du tout, mais inutile de s'appesantir sur ce genre de détail, ai-je pesté en mon for intérieur*). Malheureusement, ma mère et moi sommes un peu à court d'argent, ai-je continué, jouant à merveille la Jeune Fille courageuse. Papa m'a toujours dit qu'en cas de besoin nous pourrions compter sur vous.

M. Purefoy a légèrement vacillé.

– Euh, ce n'est pas que… Enfin… Je suppose que vous êtes très attachée à l'œuvre de votre père et…

– Je respecte sa mémoire, ai-je affirmé, au cas où il aurait jugé mesquin de ma part de brader les affaires paternelles. Seulement, on traverse parfois des passes difficiles dans la vie. Il y a des moments où on n'a pas le choix, vous comprenez ?

(*Ça, au moins, c'était la vérité vraie.*) Ma mère a de graves problèmes, je dois m'occuper d'elle.

– Oui, je vois, ma mère est très malade, elle aussi.

Le galeriste a pioché une carte postale sur le présentoir, l'a retournée distraitement, puis l'a remise en place en disant:

– Vous savez, je n'en reviens pas de l'argent qu'il faut pour mourir.

J'ignorais comment interpréter cette remarque sibylline; heureusement pour moi, M. Purefoy n'attendait aucun commentaire.

– Quoi qu'il en soit, a-t-il poursuivi, je suis entièrement d'accord avec vous: il arrive un moment où l'on n'a plus le choix.

Il semblait plus détendu à présent, comme s'il venait de prendre une décision.

– Je serai content de regarder les tableaux de votre père, Cathy. Je suis sûr que nous allons trouver un arrangement.

– Merci, merci infiniment, monsieur Purefoy. Vous ne savez pas ce que ça signifie pour moi.

Son sourire s'est figé pendant une fraction de seconde, puis s'est élargi chaleureusement.

– Ravi de pouvoir vous aider. Laissez-moi juste le temps de passer un coup de fil, j'en ai pour une minute.

Il a disparu dans l'arrière-boutique, et j'ai poussé un énorme soupir de soulagement. J'ai disposé contre le mur les cinq tableaux que j'avais pris avec moi, uniquement des œuvres animalières. Les tableaux de la Dépression, je les avais laissés dans la voiture. Si M. Purefoy en achetait la moitié, il était quasiment sûr de les écouler. D'habitude il les vendait dans les trois cents dollars et prélevait une commission de soixante pour cent. Bien entendu, je ne pouvais pas lui demander de me régler d'avance la totalité de la somme, mais s'il acceptait de me verser un acompte de cinquante pour cent sur deux toiles, mettons, ça me ferait, euh… J'ai commencé à compter sur mes doigts, comme toujours lorsque je suis confrontée à un problème de math. Alors que je me penchais par-dessus le comptoir pour voir s'il traînait une calculette, mon regard est tombé sur l'objet que M. Purefoy avait posé près de la caisse enregistreuse. En l'occurrence, la pièce qu'il tripotait de la main à mon arrivée.

Il ne s'agissait ni d'un quarter ni d'un nickel mais d'une pièce chinoise trouée en son milieu.

La porte de l'arrière-boutique s'est rouverte, livrant passage à un M. Purefoy tout sourire :

– Bon, si vous me montriez tout ça ?

– À qui téléphoniez-vous ? l'ai-je questionné.

– Oh, simple coup de fil professionnel. Revenons à ces tableaux, d'accord ? (Il a désigné le chat-huant). Celui-ci est très bon. Je suis sûr qu'il partira.

– Combien ?

– Voyons… quatre cents dollars ?

Abstraction faite des battements affolés de mon cœur, je suis restée de marbre. Le galeriste a froncé les sourcils :

– Cinq cents dollars ?

– Et une commission de cinquante pour cent ?

– Ça me semble correct.

– Il faut que j'y aille, lui ai-je annoncé en commençant à remballer les toiles de mon père. Je préfère réfléchir un peu avant de me décider.

– Non, attendez !

M. Purefoy a pris soin de rajuster son sourire avant de s'élancer vers moi :

– Je peux vous faire une meilleure offre. Ce serait vraiment dommage de partir si vite.

Qu'est-ce que Jewel va faire de mon permis de conduire ?

Sourde à ses arguments, je me suis ruée vers la sortie. La pauvre vieille cloche a émis un claquement sec quand j'ai tiré la porte. Une fois dans la voiture, j'ai été prise d'une crise de tremblements et il m'a fallu trois essais avant d'arriver à enfoncer la clé de contact. Ensuite j'ai mis les gaz et écrasé la pédale d'accélérateur à fond. Dans un crissement de pneus, j'ai juste eu le temps d'apercevoir M. Purefoy qui se précipitait dehors, le téléphone collé à l'oreille.

Le Messager (Heure de la Paruline à Croupion Jaune)

La tête bourdonnante, les veines blindées d'adrénaline, j'avais l'impression que mon corps abritait un essaim de guêpes en colère. Après m'être engagée sur la bretelle de l'autoroute, j'ai foncé vers San Francisco à quelque cent quarante kilomètres/heure. C'était le seul moyen que j'avais trouvé pour me calmer. De toute évidence, les hommes de main de l'Ancêtre Lu avaient fait le tour des galeries fréquentées par mon père. J'ai tripatouillé la radio jusqu'à ce que je trouve un programme de rock emo, j'ai poussé le son à fond et continué à tracer sur la 101, direction San Francisco Nord, comme si l'asphalte était pavé de tueurs Ninjas qu'il me fallait faucher au fur et à mesure afin de garder la vie sauve.

J'avais toujours besoin d'argent pour assurer mon voyage, mais je ne pouvais démarcher aucune salle d'exposition susceptible de vendre des originaux de Michael Vickers, sachant que les sbires de Lu avaient déjà miné le terrain. Inutile aussi d'essayer les galeristes branchés d'Union Square : jamais ils n'achèteraient de tableaux figuratifs représentant des oiseaux ou des scènes des années 1930. J'ai décidé de me rabattre sur un quartier moins snob de San Fran

Quel genre de job vais-je dégotter au Texas ?

Je ferais peut-être bien d'adopter un Subtil Camouflage® Me teindre les cheveux ? Quelle couleur m'irait le mieux ?

49

Après avoir dépassé la célèbre librairie City Lights, port d'attache des poètes de la Beat Generation, j'ai traversé l'étrange no man's land qui sépare Chinatown de Little Italy. Si vous aimez les glaces au thé vert ou au lychee, c'est là qu'il faut aller.

Je me suis garée au hasard, j'ai verrouillé la voiture et commencé à déambuler dans les rues, histoire de me ressaisir. Exercice difficile. Mes pensées s'agitaient sous ma boîte crânienne comme du pop-corn dans un four à micro-ondes.

À quelques mètres de moi, une paruline à croupion jaune est venue se cogner de plein fouet dans la vitrine d'un magasin. Elle s'est effondrée sur le trottoir. *Pauvre piaf, il doit être aussi naze que moi*! ai-je songé en me précipitant pour voir s'il n'avait rien de cassé. J'aurais juré que c'était un vrai oiseau ; j'avais nettement entendu le *tchock* sec de son bec contre la vitre. Pourtant, quand je me suis accroupie près de cette petite chose tombée à terre, j'ai découvert qu'il s'agissait d'un astucieux pliage de papier, parfaite imitation de paruline à croupion jaune, avec ses ailes froissées et ses fines pattes aux griffes recourbées.

J'ai redressé la tête et scruté la rue, cherchant à repérer la silhouette rondouillarde d'un vieux Chinois à barbe blanche, qui ne se déplaçait jamais sans son âne en papier plié au fond de sa poche.

Non, aucune trace de lui.

M. Origami, le plus excentrique des Huit Immortels chinois, se trouvait forcément dans les parages mais il ne tenait pas à se faire voir. À moins qu'il ne soit entré dans le magasin ? J'ai ramassé et fourré l'oiseau de papier dans mon sac. Une fois debout, j'ai examiné la devanture. Au-dessus de la porte, on pouvait lire sur l'enseigne :

Qui a zigouillé les types de LJC sous ma fenêtre ?

Lucky Larry, Anciens Moules à Gaufres –
ET AUTRES CURIOSITÉS !

L'enseigne aux couleurs criardes, style carnaval, s'ornait sur chaque côté d'une tête de clown passablement inquiétante. D'après le bric-à-brac qu'on apercevait à travers la vitrine poussiéreuse, j'ai compris que Lucky Larry était une sorte de prêteur sur gages atteint de la folie des grandeurs, doublé d'un *serial* collectionneur aux goûts très particuliers. À titre d'exemple, les meubles avaient tous des pattes. Pas des pieds ou des roulettes, non : des pattes.

Il y avait une baignoire en fonte avec des pattes de crocodile, un portemanteau en bois doté de pattes d'autruche, un petit canapé trapu, agrémenté d'une queue à pompon et de pattes de chien horriblement réalistes, si bien qu'on aurait dit un cocker empaillé. Suivant le même principe, toutes les pendules avaient pour cadran un visage. Vous voyez le genre : bébés hilares, souriants tournesols, mystérieuses faces de lune, starlettes des années 1950,

51.

52.

effigies de saints (en grand nombre) et sinistres clowns (encore plus nombreux).

Il y avait aussi une quantité invraisemblable de tableaux. Aquarelles de piètre qualité, natures mortes à base de poires et de grappes de raisins, scènes pseudo-impressionnistes de la vie parisienne et série de toiles expressionnistes représentant des morceaux de viande grouillant d'asticots. J'ai également repéré une ravissante peinture à l'huile figurant un crâne et une coupe de fruits, qui ressemblait étrangement à la Vanité de Willem Claesz. De deux choses l'une : soit c'était une copie exécutée par un faussaire hyper talentueux, soit c'était l'original que Lucky Larry s'était procuré après avoir assommé le propriétaire à l'aide d'un moule à gaufre vintage. Personnellement, je penchais pour la seconde hypothèse.

La contemplation de tous ces tableaux m'a amenée à sourire pour la première fois de la journée. « Merci, monsieur Origami », ai-je murmuré avant de retourner à la voiture.

Deux minutes plus tard, je me pointais chez Lucky Larry, les toiles de mon père sous le bras. Un gong en bronze, fixé au-dessus de la porte, a salué mon arrivée d'un *booooong!* retentissant. Les ondes sonores se sont diffusées jusqu'au fond de l'obscure boutique, s'enfonçant dans la jungle des meubles multi-pattes et disparaissant dans les replis des tapisseries pour laisser place au cliquetis des horloges, des pendules et des réveils qui bruissaient comme autant d'insectes métalliques : tic-tac des balanciers, clappements des aiguilles et minuscules stridulations des mécanismes tapis dans leurs entrailles. L'endroit sentait le vieux papier, le vernis, le cuir et la poussière.

– Bonjour, ai-je lancé. Il y a quelqu'un ?

Un corpulent sexagénaire a surgi de derrière un paravent japonais reposant sur des pattes de tortue. Comme il était chaussé de sandales, j'ai remarqué que ses orteils étaient couverts de longs poils blancs parfaitement assortis à ses sourcils en bataille et aux touffes de crin qui dépassaient de ses grandes oreilles. Une paire de bretelles rouge vif retenait son jean. Son ample bedaine disparaissait sous une chemise qu'on aurait pu qualifier d'hawaïenne, sauf qu'il ne s'agissait pas d'un imprimé à fleurs mais d'un méli-mélo de têtes de clowns identiques à celles de l'enseigne – et tout aussi effrayantes.

– M. Lucky Larry ? ai-je supputé avec ma perspicacité habituelle. Je suis à la recherche d'un moule à gaufres ancien.

– Tiens donc ! a rétorqué ledit Larry, l'air sceptique, en glissant les pouces sous ses bretelles. À vous voir, j'aurais plutôt parié que vous cherchiez à vendre des tableaux.

– J'adore les gaufres avec des fraises estampillées dessus. Est-ce que vous auriez ce genre d'article ?

– Parce que normalement, voyez-vous, ce sont les clients qui me donnent des sous, pas l'inverse. C'est tout l'intérêt d'un magasin.

Nous nous sommes regardés, et j'ai capitulé.

– OK. J'ai besoin d'argent.

Soupir de Lucky Larry.

– Ce sont des toiles de grande qualité, ai-je poursuivi.

Et dans la foulée, je lui ai mis l'aigrette blanche sous le nez.

– Qui ne rêverait pas d'avoir une telle merveille au-dessus de son lit, hein ?

Larry a secoué la tête, moyennement emballé.

– Un original de Michael Vickers, ça se vend dans les six ou sept cents dollars, facile !

– Non, je regrette.

– Mais je ne vous ai pas encore annoncé mon prix !

Lucky Larry s'est enfoncé un doigt dans l'oreille et l'a agité vigoureusement, faisant bruisser les petits poils blancs, telles les herbes sèches de la savane sous la patte d'un éléphant.

– Je n'achète que des tableaux ayant un rapport avec la nourriture, m'a-t-il informée.

J'ai rapidement parcouru sa collection et me suis arrêtée sur les œuvres expressionnistes.

– Parce que la viande pourrie, c'est de la nourriture, selon vous ?

Haussement d'épaules du bonhomme.

– Et ça, alors ? ai-je continué, braquant un index accusateur sur le faux-vrai Claesz. C'est bien un crâne, si je ne m'abuse !

– C'est une coupe de fruits qui se trouve être à côté d'un crâne, nuance.

Nous nous sommes encore regardés droit dans les yeux.

– Ça, c'est comestible, ai-je affirmé en désignant l'aigrette blanche. Regardez ces cuisses ! Drôlement appétissantes, non ?

– Vous avez déjà vu quelqu'un manger une grue ?

– Une aigrette blanche, ai-je machinalement corrigé. Je vous jure que c'est super bon. Vous la mettez à four chaud avec des oignons et de la sauce de soja… (Grimace de Larry). Ou alors en brochettes ? Aigrette-kebab, hyper branché !

– Ça m'étonnerait que…

– Ou en fondue ! me suis-je empressée d'ajouter, le voyant à nouveau secouer la tête. Dans certains restaurants, on vous fait avaler n'importe quoi. Une fois la viande coupée en petits morceaux, on n'y voit que du feu.

– Écoutez, ma petite, j'adorerais vous aider, a-t-il lâché d'un ton qui contredisait totalement ses paroles. Seulement, ma stratégie commerciale…

– Vendre des meubles avec des pattes d'animaux, vous appelez ça de la stratégie ?

– … m'impose des critères que j'entends respecter et…

– Et cette chouette ? ai-je enchaîné en lui montrant le tableau suivant.

– Est-ce que ça se mange ?

– Évidemment ! C'est même recommandé par le ministère de la Santé. Les Américains devraient manger de la chouette au moins deux fois par semaine pour… euh… pour s'assouplir la nuque.

– Il y a tant de gens que ça qui ont la nuque raide ?

– Énormément ! C'est même très préoccupant.

– Larry s'est faufilé derrière le comptoir et m'a tourné le dos pour remonter un hideux réveil à tête de clown.

– Merci, mais non, a-t-il marmonné. Faites un petit tour dans la boutique. J'ai un magnifique coin-repas de style porcin – admirez les pieds de chaises en forme de jambon. Des meubles pareils, on n'en fait plus !

– Ça, je veux bien le croire.

À bout de patience, je me suis approchée à grands pas et penchée par-dessus le comptoir pour inciter le vieil homme à me faire face.

– Écoutez, monsieur…

Je me suis interrompue net, l'œil soudain attiré par une autre toile planquée dans un coin. Des bleus, des gris, des tombes, des mots d'hébreu gravés sur une stèle. *Les portes du cimetière*, de Marc Chagall.

– Si quelque chose vous plaît, je vous ferai une remise de quatre pour cent, car vous m'êtes sympathique, m'a lancé Larry en jetant un regard par-dessus son épaule.

Voyant que je lorgnais le Chagall, il s'est déplacé sur le côté afin de me boucher la vue.

– Combien vous le vendez ? ai-je demandé en désignant le tableau.

– Ce truc-là ? Ne me dites pas que vous voulez l'acheter, c'est une vilaine copie, une reproduction sans aucun intérêt.

– Je vous en donne cent dollars, ai-je insisté, convaincue que j'étais en présence du tableau que Victor avait acquis six mois plus tôt pour la modique somme de six cent mille dollars, uniquement parce que j'y avais fait allusion lors d'une discussion. Cent dollars, c'est beaucoup pour une reproduction.

– Beaucoup trop, oui ! Je ne peux pas accepter, ce serait

malhonnête de ma part. Vous ne seriez pas plutôt tentée par cette ravissante paire de chandeliers ? m'a proposé Larry en posant deux vaches en laiton sur le comptoir.

– Alors disons cinquante dollars ?

– À vrai dire, je ne tiens pas à vendre ce tableau. Je l'ai depuis fort longtemps, j'y attache une valeur sentimentale. Il me vient de ma tante Ida – paix à son âme ! – morte lors d'un tragique incendie dans sa maison de retraite. Je suis sûr que vous comprenez.

– Oui, oui, très bien.

Sans faire de mauvais jeu de mots, je voyais d'ici le tableau : Victor se réveille un beau matin, fauché comme les blés ; pour se renflouer, il décide de revendre son Chagall mais il ne peut pas s'adresser à un marchand d'art digne de ce nom, car ce genre de transaction prend un temps fou à cause des expertises, des assurances, tout ça. Bref, pour obtenir rapidement des espèces sonnantes et trébuchantes, quitte à y laisser des plumes, Lucky Larry lui semble tout indiqué.

– Quel – est – votre – prix ? ai-je martelé d'une voix grinçante.

– Eh bien… hum… je ne sais pas trop… Mettons…

L'usurier s'est absorbé dans la contemplation de ses orteils poilus, puis m'a annoncé en redressant la tête et en haussant les épaules :

– Un demi-million ?

– Désolée, je n'ai pas cette somme sur moi.

– Vous m'étonnez, a-t-il répliqué sèchement. Écoutez, si les voyous du quartier connaissaient la valeur de ce Chagall… Disons que je vous serais reconnaissant de n'en parler à personne, d'accord ? Du moins, pas avant que j'aie le temps de me procurer un…

– Coffre-fort ?

– Je pensais plutôt à une mitrailleuse, mais un coffre ferait aussi bien l'affaire, je suppose.

Larry a froncé les sourcils, songeur, avant d'ajouter :

– Vous croyez que je pourrais trouver un coffre avec des pattes de lion?

– À propos, il n'y a aucun élément comestible dans *Les portes du cimetière,* lui ai-je fait remarquer.

– C'est l'exception qui confirme la règle.

Du bout des doigts, j'ai caressé la vache en laiton tout en réfléchissant au moyen de convaincre Larry de m'acheter les peintures de mon père. Puis j'ai pris l'objet en main. Il paraît que la violence est l'ultime refuge des incapables.

Bienvenue au club, Cathy.

– Je parie que vous n'avez pas encore eu le temps d'assurer ce tableau, Larry, ai-je insinué, soupesant le chandelier qui devait avoisiner les deux kilos.

Lucky Larry a blêmi et s'est aussitôt interposé entre le Chagall et moi.

– Vous n'oseriez pas!

– Je vais me gêner, tiens! ai-je dit avec un sourire innocent.

J'ai levé le bras à la manière d'une lanceuse de poids, les doigts fermement crochetés entre la tête et le pis de la vache. Larry s'est mis à trembler de la bedaine.

– Sauf si vous acceptez de m'acheter deux ou trois peintures, bien sûr, ai-je complété.

– Très bonne idée! J'ai entendu dire que les gens mangeaient de plus en plus de chouettes.

– Elles figurent même au menu des meilleurs restaurants.

Grandir (Heure de Quitter le Nid)

57.

Je suis rentrée chez moi avec cent soixante dollars en poche. Assez pour contribuer aux frais d'essence du voyage et offrir en prime un paquet de chips à Denny. Maman s'est réveillée peu avant dix-sept heures, alors que je commençais à préparer le repas (petit-déjeuner pour elle, dîner pour moi). Puis elle a filé à l'hôpital et j'ai fait la vaisselle. Entre-temps, j'avais eu trois appels. Un de Victor et deux d'Emma, d'après le nom affiché sur l'écran. Je n'ai pas répondu.

J'espérais que le massacre de la nuit précédente découragerait les types de Lucky Joy Cleaners de récidiver, mais j'ai quand même sorti le grand couteau de cuisine, celui dont on se servait pour découper les rôtis du temps où on avait les moyens de s'acheter de la viande. Je comptais le glisser sous mon oreiller mais, plus l'heure avançait, plus je me rendais compte que je n'aurais pas le temps d'aller me coucher. Du coup, j'ai posé mon arme de fortune à côté de mon ordinateur pendant que je m'évertuais à écrire un mot à ma mère. Je changeais de version à peu près toutes les demi-heures. Dès que j'en avais terminée une, je la relisais et j'appuyais sur la touche « effacer ». En réalité, je n'avais rien à lui dire. Rien qui puisse la rassurer ou la convaincre que je n'étais ni droguée, ni folle à lier, ni les deux.

J'ai sorti la lettre que Victor avait écrite à Tsao, celle où il lui parlait de moi. Cette lettre, je la gardais comme un trésor. À la relecture, j'ai réalisé qu'elle était truffée d'expressions qui ne correspondaient pas du tout au style de Victor. J'en ai conclu que c'était un faux, une ruse de Tsao pour se rapprocher de moi.

À force de fréquenter des immortels, on finit par découvrir un tas de supercheries. Une montagne de mensonges.

J'ai ouvert ma penderie et décroché la robe que je portais le soir de mon premier rendez-vous avec Victor. Un dîner qui s'était terminé en apothéose quand je lui avais renversé ma crème brûlée sur la tête. J'ai feuilleté mon carnet de croquis pour revoir les dessins que j'avais faits de lui, d'Emma et de ma mère. Ils étaient meilleurs que dans mon souvenir mais pas aussi bons que je l'aurais souhaité. Normal.

Ensuite, je suis tombée sur la photo de classe de troisième. **EMMA ET CATHY, AMIES POUR LA VIE**, avais-je écrit en rose fluo sous nos deux silhouettes côte à côte.

Au lever du jour, je suis sortie dans le jardin. Il y avait des empreintes de pas sur le gazon, tout autour de la maison, preuve qu'une discrète sentinelle avait patrouillé toute la nuit. De petits pieds.

Ma mère est rentrée du boulot à 7 h 30, trop crevée pour se douter de quelque chose. Je lui ai préparé son petit-déjeuner. Elle s'est traînée jusqu'à la douche, puis s'est écroulée sur son lit et endormie comme une masse à 8 h 15.

Il était près de neuf heures quand la voiture de Denny s'est arrêtée devant la maison. Je suis allée prendre mon sac à dos dans ma chambre. J'y avais fourré, entre autres choses, mon ordinateur portable, mon carnet de croquis et mon sac à main. J'ai fait une halte dans la salle de bains, histoire de me recoiffer (les artistes font toujours très attention à leur look), puis j'ai ouvert la porte d'entrée et j'ai quitté la maison qui m'avait vue naître et où j'avais grandi. Cette maison que je ne reverrais plus jamais de ma vie.

Denny avait le bras gauche dans le plâtre, fermement maintenu en écharpe contre son thorax. Il s'est contorsionné pour atteindre la commande de sa vitre et m'a lancé un bref salut.

– Salut, Denny. Tu veux que je conduise ?

Je m'attendais à ce qu'il refuse, en bon macho qu'il était, mais il devait avoir encore sacrément mal, car il a hoché la tête et entrepris de décrocher sa ceinture. Voyant qu'il n'y arrivait pas, je me suis penchée pour l'aider. Ce faisant, j'ai senti son souffle chaud sur ma nuque.

Denny s'est glissé à la place du passager. J'ai balancé mon sac à dos sur la banquette arrière, puis je me suis installée au volant et j'ai tourné la clé de contact. L'heure de pointe étant passée, j'ai rejoint l'autoroute sans difficultés. Mon téléphone s'est mis à vibrer et à sonner dans ma poche. Une fois, deux fois, trois fois.

– Tu réponds pas ? m'a lancé Denny.

Je me suis engagée sur l'autoroute et j'ai appuyé sur le champignon.

– Nan.

*

Victor Chan

J'aurais dû laisser un mot.

Jumeaux

« Pourquoi t'as pas répondu ? » m'a demandé Denny.

J'ai haussé les épaules et éludé la question :

– Je propose qu'on prenne la 101, ensuite la 92 jusqu'à l'embranchement de la 580, de là on filera vers l'est pour rattraper la I-5.

– OK, a fait Denny. C'est ma sœur qui appelait ?

– Jewel ? Non. Enfin, j'en sais rien, j'ai pas vérifié.

Coup d'œil dans le rétroviseur. Pas de camionnette avec le sinistre logo de Lucky Joy Cleaners derrière nous. Pas de flics. Pas de maman me poursuivant dans sa vieille Mercury Marquis.

– On n'aura qu'à suivre la I-5 jusqu'à Bakersfield, disons, et puis on coupera par l'ouest.

– Bon. Écoute…

– À Tehachapi, on pourrait peut-être prendre la 58.

– Bonne idée. Y'a une prison à Tehachapi, a précisé Denny.

Coup d'œil à la jauge d'essence. Le réservoir était aux trois quarts vide.

– Elle consomme combien de litres au cent, ta bagnole ? ai-je voulu savoir.

– Tu sais, elle essaiera de te joindre tôt ou tard.

– Jewel ?

– Quand elle t'appellera, note son numéro, OK ? Faut que je lui parle.

– Est-ce que je t'ai dit qu'elle m'avait piqué mon permis ?

– Elle s'imagine sans doute que… Attends, tu es en train de conduire ma caisse sans permis ?

Cette fois, c'est lui qui a jeté un coup d'œil au compteur.

– Ralentis un peu, m'a-t-il ordonné.

– Eh, je te signale que je roule à la vitesse autorisée.

– Mais sans permis. Alors ralentis.

Docile, j'ai levé le pied et obliqué sur la file de droite. *Adieu*

– Pourquoi est-ce que tu as besoin de son numéro ? ai-je repris.
Elle peut très bien te téléphoner directement, non ? Vous m'avez
l'air assez proches, tous les deux.

Dans le genre fusionnel-dysfonctionnel.

– Elle n'aime pas s'avouer vaincue. Quand elle se croit en *désolée*
position de force, elle m'appelle à tout bout de champ. Mais quand
elle la joue discrète, je peux être sûr qu'elle a des ennuis. Du
coup, c'est à moi de deviner quel est le problème et de foncer à la
rescousse. Et ça, elle déteste.

Dans le genre job ingrat, veiller sur une fille comme Jewel
devait se situer entre testeur de poil à gratter et nettoyeur d'une
piste de cirque après le numéro des éléphants.

– C'est toi l'aîné ?

– Non. On est jumeaux, mais elle m'a battu de deux minutes
à l'arrivée. Faut croire qu'elle était plus pressée de découvrir le
monde.

– Moi, je suis fille unique.

– Ça m'étonne pas.

Coup d'œil fumasse à Denny :

– Ça veut dire quoi, ça ?

– Regardez la route, mademoiselle, m'a-t-il dit avec un grand
sourire.

– Crétin, va !

Je me suis surprise à sourire aussi.

De sa main valide, Denny s'est gratté le haut du bras gauche
distraitement, comme s'il espérait soulager ses démangeaisons à
travers le plâtre.

– Quand on était petits, genre sept ans, ma mère avait un
copain, un magouilleur de première. Il se la pétait grave. Chez
nous, c'était un défilé permanent de mecs qui venaient lui acheter
de la came.

Gloups.

– Si je comprends bien, Jewel a de qui tenir pour se dégotter des copains tordus, ai-je commenté.

Denny a haussé les épaules.

– Bah, c'était pas le mauvais gars. Contrairement aux autres potes de ma mère, qui étaient tous des losers, il avait de l'ambition, lui. Il nous louait souvent des films sympas. Comme ça, on lui foutait la paix pendant qu'il dealait. Des films que les mômes de notre âge avaient pas le droit de regarder, en général.

– Oui, je vois le genre, inutile d'entrer dans les détails.

– Oh, t'inquiète, c'était pas des trucs de sexe, il était pas pervers. Non, des films comme *La nuit des morts-vivants*, tout ça.

En bonne petite bourgeoise, je n'ai pas pu m'empêcher de frémir en imaginant les deux gamins scotchés devant les pires scènes d'horreur pendant que l'autre préparait ses sachets de poudre sur la table de la cuisine. Et dire que c'était l'un des *bons* « pères » qui avaient traversé la vie de Denny !

– Et puis il y a eu ce type, quand Jewel avait quatorze ans…

La mine assombrie, Denny a observé sa grosse main balafrée imprégnée d'huile de vidange et ses doigts aux jointures légèrement enflées à cause des nombreuses fractures qu'ils avaient encaissées.

– Celui-là, je l'ai foutu dehors.

J'ai continué à rouler sans rien dire.

– On peut très bien voir et faire des tas de trucs pas nets tout en étant quelqu'un de bien, a poursuivi Denny. L'important, c'est qu'il existe une personne au monde qui le sache.

Il s'est détourné de moi pour regarder par la vitre de sa portière, comme si l'autoroute du passé défilait sous ses yeux.

– Tu sais, a-t-il repris, parfois j'ai l'impression que Jewel essaie de fuir tous ceux qui savent qu'elle peut être une fille bien. Le fait

de s'éloigner de moi, par exemple, ça lui permet de se la couler douce et d'être… conforme à ce que les autres pensent d'elle.

– Mais toi, tu ne vas pas la laisser tomber.

– Non, mam'zelle. Pas question que je lâche ma sœur.

Buffet du pare-brise (Heure du Festin Surprise)

Mon portable a sonné. J'avais l'intention de l'ignorer, mais le regard insistant de Denny m'a décidée à le tirer de ma poche.

– C'est juste Emma, l'ai-je informé, après avoir jeté un coup d'œil au nom affiché sur l'écran. J'aimerais bien qu'elle arrête de m'appeler.

– Tu devrais peut-être lui dire où on va, elle risque de s'inquiéter, non ?

– Tu sais, c'est à cause de moi que les ambitions professionnelles d'Emma sont tombées à l'eau et qu'une armée de tueurs furète autour de son immeuble, ai-je grogné. Alors si Cathy Vickers disparaît de sa vie, elle ne s'en portera pas plus mal. Au contraire.

Denny m'a regardée d'une drôle de façon.

– Punaise, j'ai les crocs ! s'est-il exclamé.

– J'ai environ cent soixante dollars. Au prix de l'essence, on ne va pas pouvoir se mettre grand-chose sous la dent, à part les bestioles qui s'écrasent sur le pare-brise.

Mon compagnon de route a fait la grimace.

– Merci pour l'image. Non, sérieux, après deux jours de bouffe d'hosto, je suis prêt à dévorer une montagne de crêpes.

– Tu aurais mieux fait de prendre un copieux petit-déj', même si c'était celui de l'hôpital, lui ai-je fait remarquer.

De mon côté, je n'avais rien avalé depuis la veille et je commençais à avoir sérieusement faim.

– On s'arrêtera à onze heures et on se partagera un paquet de cacahuètes, OK ?

– À l'aller, je suis passé devant un petit resto qui avait

l'air vachement sympa. On devrait y arriver d'ici deux ou trois kilomètres.

– Denny ! On roule depuis huit minutes à peine !

Mon estomac, ce traître, s'est mis à gargouiller comme une bétonnière en folie.

– Plus on parle de manger, plus ça nous donnera faim. Alors changeons de sujet, d'accord ?

– D'accord, a soupiré Denny.

Il a ouvert la boîte à gants, l'a refermée, l'a rouverte, l'a refermée, et ainsi de suite. On aurait dit une bouche mécanique en train de dévorer le manuel d'instructions de la voiture. Clic-clac, clic-clac, miam-miam, miam-miam.

– Cathy, tu ne crois pas qu'une bonne crêpe nous…

– Qu'est-ce que tu as avec les crêpes, c'est une idée fixe ou quoi ?

Denny s'est mis à rougir et à se tortiller sur son siège.

– Écoute, je sais que ça va te rendre dingue mais…

– Oh mon Dieu, tu as envie de faire pipi, c'est ça ?

– Hmm…

– Quel âge tu as, huit ans ? La prochaine fois, dis-le carrément !

– Merci de prendre la prochaine sortie.

– Ah, là là, ces mecs !

Conquistador

Dring !

Nouveau coup d'œil sur l'écran de mon portable. Cette fois, il ne s'agissait pas d'Emma mais d'un certain Miguel Allende. Froncement de sourcils. Ce nom me disait vaguement quelque chose…

Dring !

Il s'est produit comme un mini feu d'artifice dans ma tête – un long souffle sifflant suivi d'une explosion de souvenirs. Miguel Allende était un conquistador. C'est lui qui avait servi de guide à Ponce de León lors de l'expédition visant à découvrir la Fontaine de jouvence. L'entreprise s'était soldée par un fiasco, mais Allende en avait rapporté de nombreux dessins concernant la faune et la flore du Nouveau Monde. Parmi eux s'était glissé un croquis de sa fille, qu'il avait dû laisser en Espagne. Car Miguel Allende était un immortel. Et quand on est immortel, on abandonne toujours des tas de choses en cours de route, notamment ses enfants.

Dring!

– C'est Jewel? m'a interrogée Denny en se penchant vers moi.

– Non, c'est mon père.

J'ai décroché :

– Va te faire voir! ai-je grogné en guise de préambule.

– Je t'ai vue partir ce matin avec un garçon, m'a dit mon père. Qui est-ce ?

– Tu m'espionnes maintenant?

– Cathy, arrête !

– Si tu veux tout savoir, c'est un être humain, ai-je résumé tout en observant à la dérobée le visage massif, amoché et inquiet de Denny. Il est sympa, gentil et je vais vivre avec lui. C'est bien ce que tu souhaitais, non ? (Mon père m'avait fait clairement comprendre que ma relation avec Victor était vouée à l'échec.) J'ai suivi tes conseils, ça devrait te faire plaisir. Dans neuf mois, je serai sans doute une jeune mère célibataire, et toi tu deviendras l'heureux grand-père d'un bébé garanti cent pour cent mortel. Génial, hein ?

Nous, les Californiennes, on passe tellement de temps l'oreille vissée à notre portable qu'on est devenues des mutantes dotées d'un lobe cervical spécialement programmé pour analyser la qualité du silence transmis par nos interlocuteurs. Celui-là était du type 113 : mutisme saturé de lassitude, de frustration et de douleur vaillamment contenue, avec une touche de culpabilité et une pointe d'angoisse dans

65.

les hautes fréquences. Silence parental très répandu.

– Un bébé ? s'est écrié Denny avec un métro de retard. Euh… je suis pas sûr d'être mûr pour…

– Toi, la ferme, ai-je grincé.

Je me suis engagée sur la bretelle de sortie et retrouvée face à un embranchement.

– Je prends par où pour tomber sur ta fichue crêperie ?

Plutôt que de se risquer à ouvrir la bouche, Denny s'est contenté de pointer la direction de l'index.

– J'ai appris que les hommes de l'Ancêtre Lu étaient passés à la maison, a poursuivi mon père.

– Ouah ! Ta sollicitude me touche au plus haut point. C'est toi qui as oublié de ramasser les déchets sous ma fenêtre ? (Déchets étant en l'occurrence un euphémisme.)

– Non.

C'était stupide et puéril de ma part, mais cette réponse m'a déçue. Je n'avais pas envie que mon père soit un assassin, non. Mais d'un autre côté, ça aurait prouvé qu'il se souciait encore de moi, de maman, et de notre sécurité.

– Enfin, tu n'es pas psychopathe, c'est déjà ça, ai-je lâché.

– Écoute, Cathy, j'ai tué beaucoup de gens dans ma vie et je n'aurais pas hésité à récidiver si j'avais su que ces types te voulaient du mal. Seulement… je n'étais pas là.

– Non. C'est le moins qu'on puisse dire.

Silence type 158. Composé d'ingrédients parentaux que je ne serais capable d'identifier qu'après avoir eu moi-même des enfants, en admettant que ça m'arrive un jour. Soupir de mon père.

– Est-ce que ta mère est au courant de cette affaire ?

– Non, je ne crois pas.

– Bien. Est-ce que tu l'as prévenue de ton départ ?

– Ça ne te regarde pas.

– Attends, tu ne lui as même pas laissé de mot ?

Comment avait-il deviné ? Je me vantais d'être la reine des

menteuses mais je n'arrivais jamais à gruger mon père. Jusque-là, je pensais que c'était parce qu'il me connaissait trop bien ; en fait, c'est parce qu'il était encore plus doué que moi pour le mensonge.

Lorsque nous sommes arrivés à une intersection, Denny m'a désigné la voie de gauche, puis s'est penché sur moi pour approcher ses lèvres du téléphone.

– Monsieur Vickers, juste à titre d'information, il n'a jamais été question de bébé entre Cathy et moi. Elle affabule, c'est tout.

– Enfin, mon chéri, ne sois pas si timide, tu sais bien qu'on attend des jumeaux ! ai-je pris un malin plaisir à gazouiller. Même qu'on les appellera Jeb et Bobby Sue.

– Cathy ! ont protesté en chœur mon père et Denny.

– Ta mère doit être folle d'inquiétude, a dit mon géniteur.

– Ah ouais ? Alors je te propose un truc : tu vas la voir et tu lui expliques tout de A à Z.

– Cathy, c'est ridicule…

– Je trouve ça génial, au contraire. On fera d'une pierre deux coups ! Elle sera tellement fumasse contre toi que je passerai au second plan.

– Cathy !

– Bon, j'ai été ravie de faire un brin de causette avec toi. Salut !

J'ai raccroché avant de m'engager sur le parking du Royaume des Crêpes.

67.

Complot démasqué

Je me suis garée et nous sommes descendus de voiture.
Dehors la température était encore supportable, mais il planait
toujours une forte odeur de brûlé et l'air était trouble, si bien que
tout apparaissait à travers un flou impressionniste, comme si Monet
avait repeint la façade du Royaume des Crêpes juste après avoir
achevé sa série sur la cathédrale de Rouen.

– J'aimerais que tu comprennes un truc, m'a dit Denny.
Parfois, les gens font des choses qui te donnent la rage, mais dis-toi
qu'ils avaient sûrement une bonne raison.

– De quoi tu parles, là? ai-je grogné tout en me dirigeant
à grands pas vers l'entrée du restaurant.

En plus de m'avoir mis les nerfs à vif, la discussion que je
venais d'avoir avec mon père avait renforcé mon sentiment de
solitude. Je pouvais désormais ajouter « Miguel Allende » à la liste
des proches à qui je ne voulais pas répondre au téléphone.
En l'occurrence, Emma, Pete, Victor et maman. Lorsque j'aurais
largué Denny, je prendrais ses appels pendant quelques jours.
Après ça, basta. Mis à part ces quelques personnes, qui restait-il?
Les gentilles dames des télécoms qui essaieraient de me vendre
des packs promotionnels, sans savoir que je n'en aurais plus aucune
utilité, vu que j'avais l'intention de rompre avec tout le monde.
Des candidats aux prochaines élections, des faux numéros et…
Jewel. Quelle ironie du sort! Dire que la seule personne avec qui je
resterais en contact était une fille qui m'avait pourri la vie.

Conclusion: il était grand temps de me débarrasser de mon
portable. Ainsi qu'Emma me l'avait brillamment démontré six mois
plus tôt, c'était une balise idéale pour que les flics me suivent à la
trace. Les flics… ou les chasseurs de prime de l'Ancêtre Lu.

À l'entrée de la crêperie, il y avait une poubelle près des
distributeurs de journaux. Je me suis arrêtée et j'ai sorti mon
portable, une petite merveille de technologie qu'Emma

m'avait offerte : avec Bluetooth incorporé et une caméra vidéo que je ne savais pas faire marcher. À tous les coups, Emma aurait été capable de s'en servir pour déclencher à distance un mini tir de roquette, intercepter les messages radio de la police ou programmer le lancement d'une navette spatiale, mais entre mes mains ce n'était rien d'autre qu'un téléphone, et je n'avais plus personne à appeler. J'ai laissé tomber l'engin dans la poubelle, au milieu des canettes et des bouteilles où croupissaient des fonds de bière, des gobelets de café, des journaux déchirés, des papiers gras et des restants de frites, le tout peuplé d'une nuée de mouches bourdonnantes. Sans parler de la puanteur caractéristique des détritus en voie de décomposition.

– Eh ! s'est offusqué Denny. T'aurais pu le revendre.

– Oh, merde…

J'ai fermé les yeux. Au contact d'Emma, j'avais fini par assimiler le téléphone à un objet de compagnie dont la présence agrémentait gratuitement ma vie, un peu comme un joli petit nuage. J'ai soudain réalisé que c'était aussi un ustensile monnayable. Quitte à m'en débarrasser, autant en tirer quelques billets, surtout dans la situation précaire où on se trouvait. Je me suis pincée le nez d'une main et j'ai commencé à farfouiller dans la poubelle avec dégoût.

– Je crois qu'il s'est glissé sous cette couche sale, là, m'a gentiment renseignée Denny.

– Oh, merde ! ai-je répété en retroussant ma manche.

Denny m'a interrompue dans mon bel élan :

– Attends ! Laisse tomber, on s'occupera de ça plus tard. Viens, j'ai quelque chose à te montrer.

– Une paire de très, très longues pincettes ? ai-je rétorqué. Parce que c'est le seul truc qui m'intéresse pour l'instant.

Il m'a tenu la porte de sa main valide, et nous sommes entrés au Royaume des Crêpes. On dira ce qu'on voudra des Texans, force est de reconnaître qu'ils ont le sens de la galanterie.

69.

– Il faut aussi que tu comprennes qu'après avoir passé les trois quarts de ma vie à tirer ma sœur du pétrin, je ne suis pas toujours prêt à obéir aux ordres.

Au fur et à mesure que j'avançais dans le restaurant faiblement éclairé mais hyper climatisé, une étrange et douloureuse pression m'a prise à la gorge.

– Denny, qu'est-ce que tu essaies de me dire, au juste ?

Il a faiblement agité la main qui dépassait de son plâtre comme un oiseau blessé, mais aucun son n'est sorti de sa bouche. Puis il a parcouru la salle du regard et hoché la tête en direction d'un box situé dans un coin. La table ronde était dressée pour cinq mais n'était occupée que par trois personnes.

Emma, songeuse, s'appliquait à agiter un sachet de thé dans une théière en inox. Elle portait sa tenue classique de jeune femme d'affaires décontractée : jean, T-shirt Hello Kitty et veste de créateur. À côté d'elle, Pete, très concentré, s'évertuait à ajouter un énième étage à la monstrueuse pyramide de capsules de crème liquide qu'il avait entrepris de bâtir sur le distributeur de serviettes en papier. Victor contemplait sa montre de gousset en argent posée au creux de sa paume. Ses yeux sont passés du cadran à mon visage. Le sien s'est fendu d'un léger sourire, comme s'il avait calculé mon arrivée à la seconde près.

À cet instant, la grosse boule que j'avais dans la gorge s'est enflée au point de me couper la respiration. *Je connais cette sensation,* ai-je songé. *C'est quand on se retient de pleurer.*

« Comme tu le vois, j'ai un peu trahi ton secret, » m'a dit Denny.

Il s'est crispé, visiblement prêt à recevoir une gifle. De mon côté, j'aurais voulu trouver la force de lui en envoyer une, trouver la force de lui hurler dessus, trouver la force de tourner les talons, de quitter les lieux et de m'en tenir à mon plan initial. Partir et disparaître. Seulement voilà : il m'avait déjà fallu un courage phénoménal pour quitter mes amis une première fois, j'ai compris que je ne serais jamais capable de réitérer cet exploit.

Une vague de soulagement mêlée de gratitude et de joie délirante m'a littéralement submergée. Je me suis mise à trembler de la tête aux pieds et à pleurer, mais sans larmes.

Le nuage de solitude qui m'accompagnait depuis des siècles, me semblait-il, s'est légèrement dissipé, laissant filtrer un mince rayon de soleil. Après tout, peut-être ma vie ne serait-elle pas aussi courte, aussi solitaire et aussi tragique que je l'avais redouté. Peut-être que j'allais m'en sortir et que tout se passerait bien.

– Denny? ai-je glissé après avoir repris mon souffle. Je te hais.

Sa face meurtrie et cabossée s'est éclairée d'un sourire :

– Je sais, Cathy.

Emma

Emma était encore en train de remuer son sachet de thé quand je me suis approchée de la table. Elle avait horreur du café et, sachant qu'on ne servait jamais de thé digne de ce nom dans les restaurants américains, elle commandait invariablement une théière d'eau bouillante dans laquelle elle plongeait un sachet de son cru personnel, style « Bourgeons de thé vert aux Fleurs de Jasmin du Jardin de Jade » ou « Premières feuilles de Lapsang Souchong Récoltées aux Ciseaux d'Or par de Jeunes Vierges ». Je l'ai regardée immerger et retirer son sachet jusqu'à ce que l'eau prenne cette teinte très particulière d'Ambre en Fusion® qui caractérisait, selon elle, le nirvana de la théine.

– Tu es en retard, a-t-elle dit en me jetant un coup d'œil par-dessus ses petites lunettes rondes.

Ce qui signifiait en clair :

1° Le pain perdu que je t'ai commandé a refroidi ;

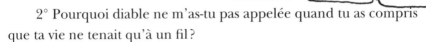

2° Pourquoi diable ne m'as-tu pas appelée quand tu as compris que ta vie ne tenait qu'à un fil?

3° Quand comprendras-tu que nous sommes de véritables amies, et que tant que tu posséderas une amie comme moi sur terre, tu ne seras jamais seule, même si tous les démons noirs de l'enfer s'acharnent à nous séparer?

– Je suis désolée, ai-je répondu. Merci.

Et je le pensais sincèrement.

72.

Victor

Victor s'est levé et m'a serrée contre lui. J'ai deviné à son étreinte qu'il était à la fois soulagé et en colère, vu la peur que j'avais dû lui faire. *Je l'ai blessé*, ai-je pensé avec étonnement. Le simple fait de partir sans laisser d'adresse lui avait fait plus de mal qu'une balle en pleine poitrine.

Comme souvent lorsque Victor me touchait, le temps s'est dilaté, mon cœur s'est arrêté et le chatoiement de la théière m'est apparu tel un jeu de lumière à la surface de l'eau. J'ai senti les muscles de son dos et la chaleur de sa peau à travers son T-shirt. J'ai aussi senti une enivrante odeur de crêpe au beurre. J'avais perdu l'appétit depuis plusieurs jours, mais à présent la faim me tenaillait et j'en étais heureuse, car cela signifiait que j'étais bien vivante.

Menu « Cardiologue » :
— crêpes au chocolat nappées
de sirop parfum bacon !

Pete

Le temps a repris son cours normal, et Pete m'a regardée en montrant du doigt les trois capsules de crème liquide qui accompagnaient ma tasse de café.

— Tu vas t'en servir ? m'a-t-il demandé.

Plan B

Cinq minutes plus tard, j'engouffrais crêpe sur crêpe, attablée avec les personnes que j'aimais le plus au monde.

— Je ne te ferai plus jamais confiance ! ai-je dit à Denny, la bouche pleine et pleine de reproches. Tu m'avais juré de ne rien dire.

— Il ne faut pas lui en vouloir, a plaidé Emma. Je suis passée à l'hôpital hier après-midi et je lui ai tiré les vers du nez.

— Elle m'a travaillé dur, moi aussi, pour en savoir plus, a enchaîné Pete en déposant une autre capsule de crème au sommet de sa pyramide.

— Quand j'ai rejoint Pete hier soir, a ajouté Victor, je n'ai même pas eu à lui soutirer des renseignements. Il s'est levé d'un bond et m'a tout de suite annoncé que tu comptais mettre les bouts.

— Je l'avais lu sur Internet, a prétendu Pete.

— Ha ha ! a fait Denny. Merci les gars, vous m'aidez vachement sur ce coup-là.

Trop penaud pour soutenir mon regard, il se concentrait sur son gargantuesque petit-déjeuner. Comme Victor avait précisé qu'il réglerait l'addition, Denny avait choisi le menu à 9 000 calories, visiblement destiné aux lutteurs de sumo ou aux ours avant hibernation.

Victor l'a regardé enfourner cette montagne de victuailles à une cadence d'enfer, puis il s'est tourné vers moi et m'a dit en souriant :

— Tu vois ? Denny m'aime plus que toi, maintenant !

— Œufs au plat saucisse poulet !

73.

– C'est normal, tu as de plus belles jambes, ai-je répliqué.

– Vous savez quel est le meilleur moyen de gagner le cœur d'un homme ? a lancé Pete.

Emma lui a jeté un regard interrogateur :

– En lui ouvrant la poitrine ?

Pete a eu l'air dérouté :

– Dis, tu as été élevée par des loups-garous ou quoi ?

Emma a découvert ses jolies petites dents blanches en grognant.

Ils étaient trop mignons, tous les deux. *Oh, Emma !*

J'ai vidé les trois capsules de crème dans mon café, plus une quatrième, cruellement subtilisée à la pyramide de Pete.

– Écoutez-moi, ai-je déclaré avec sérieux. L'Ancêtre Lu ne me lâchera pas tant qu'il ne me verra pas allongée dans son congélateur avec une étiquette autour du gros orteil. Si vous voulez rester sains et saufs, il faut que je disparaisse de la circulation.

– Pour aller où ? a objecté Victor. Tôt ou tard, Lu te retrouvera.

Fourchette et couteau en main, Emma s'évertuait à découper son bacon en petits carrés.

– Quoi que tu fasses, on sera en danger, a-t-elle affirmé.

– Quel optimisme ! Merci, Little Miss Sunshine. Et si je changeais d'identité ? Je me ferais engager comme vendeuse de beignets sous le nom de Mary Jo. Ou serveuse dans un café bien ringard où on ne passe que de la musique country.

Depuis un moment, Pete avait délaissé sa pyramide pour s'attaquer au grand bol de muesli qu'on lui avait apporté. (J'ignorais qu'on pouvait commander du muesli dans une crêperie.) Tout en mastiquant consciencieusement ses flocons d'avoine enrichis de copeaux de noix de coco et d'amandes effilées, il m'a regardée en secouant la tête d'un air navré, puis m'a dit après avoir avalé la bouillie qu'il avait dans la bouche :

– Ce n'est plus comme au bon vieux temps, Cathy.

Fraises confites à la sauce rosbif !

Aujourd'hui, on ne disparaît pas aussi facilement. Quitte à enfreindre la loi, même moi j'arriverais à retrouver ta trace si je le voulais. Grâce à ton numéro de carte de crédit, je saurais dans quelles stations tu as pris de l'essence et je te pisterais de ville en ville jusqu'à ce que tu te fixes quelque part.

– Je suis pas obligée de me servir de ma carte, ai-je contré sans conviction, sachant pertinemment que les cent soixante dollars que j'avais en poche ne me mèneraient pas très loin.

– Si tu postules pour un job de serveuse ou même de vendeuse de beignets, on te demandera ton numéro de Sécurité sociale et de compte bancaire.

– Je n'aurais qu'à me faire payer en liquide… Ou échanger mon chèque de salaire contre les pourboires d'un collègue.

Pete a poursuivi, un brin agacé :

– Il faudra bien que tu habites quelque part et que tu fasses brancher le gaz ! Et pour ça, tu devras prouver ton identité.

– Tu ne réussiras pas à me convaincre. Je suis sûre que c'est possible. Après tout, la moitié des habitants de San José sont des immigrés en situation irrégulière !

75.

– Peut-être, mais ils vivent en famille. Il en suffit d'un ou deux avec des papiers en règle pour organiser la vie de dix autres personnes : louer un appartement, souscrire un abonnement à l'eau et à l'électricité, inscrire les enfants à l'école, etc. En plus, les agents du FBI n'en recherchent pas un en particulier. Alors que dans ton cas, l'Ancêtre Lu est focalisé sur toi, et toi seule. Je ne dis pas qu'il est impossible de te rayer du cybersystème… mais ce sera dur.

– Sans compter que ton plan comporte un autre inconvénient, est intervenue Emma, l'œil au ras de sa tasse de thé. Vendeuse ou serveuse : ça craint !

– Alors qu'est-ce que je suis censée faire ? ai-je demandé en parcourant toute la tablée d'un air désespéré. Si je ne peux ni m'évanouir dans la nature ni échapper aux hommes de Lu, je n'ai plus qu'à me jeter du pont du Golden Gate, histoire de leur

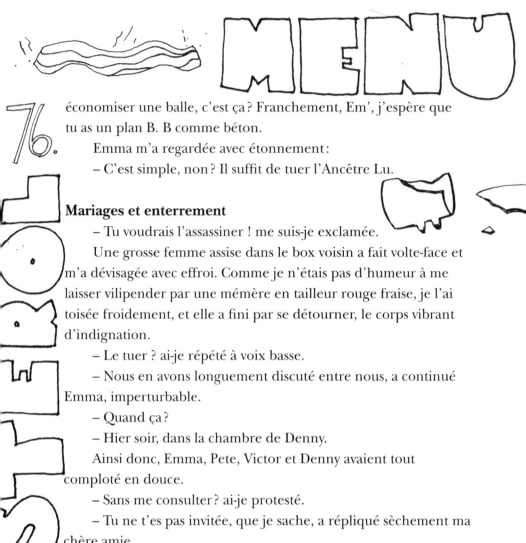

économiser une balle, c'est ça? Franchement, Em', j'espère que tu as un plan B. B comme béton.

Emma m'a regardée avec étonnement:

– C'est simple, non? Il suffit de tuer l'Ancêtre Lu.

Mariages et enterrement

– Tu voudrais l'assassiner ! me suis-je exclamée.

Une grosse femme assise dans le box voisin a fait volte-face et m'a dévisagée avec effroi. Comme je n'étais pas d'humeur à me laisser vilipender par une mémère en tailleur rouge fraise, je l'ai toisée froidement, et elle a fini par se détourner, le corps vibrant d'indignation.

– Le tuer ? ai-je répété à voix basse.

– Nous en avons longuement discuté entre nous, a continué Emma, imperturbable.

– Quand ça?

– Hier soir, dans la chambre de Denny.

Ainsi donc, Emma, Pete, Victor et Denny avaient tout comploté en douce.

– Sans me consulter? ai-je protesté.

– Tu ne t'es pas invitée, que je sache, a répliqué sèchement ma chère amie.

Denny s'est mis à rougir – à moins qu'il n'ait eu une subite rupture de vaisseaux sanguins.

– On s'est dit que si on t'en parlait, tu risquais de te tailler avant qu'on ait le temps de s'organiser, a-t-il avancé. Du coup…

– Tu es passé me chercher comme un vulgaire colis à livrer. D'accord! J'abandonne. Ne venez pas me dire que je n'ai pas essayé de vous laisser en dehors de cette histoire.

– Il n'est pas question qu'on reste en dehors, justement, a souligné Victor. Nous sommes tes amis et nous serons toujours là pour te soutenir, quoi qu'il advienne.

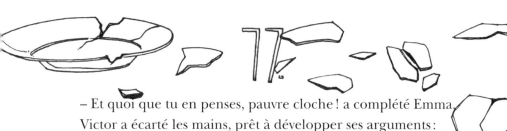

– Et quoi que tu en penses, pauvre cloche ! a complété Emma.

Victor a écarté les mains, prêt à développer ses arguments :

– Il faut absolument neutraliser l'Ancêtre Lu. S'il y a moyen d'y arriver sans le liquider, je suis tout à fait d'accord, mais ce n'est sûrement pas une bonne tactique d'attendre qu'il se manifeste le premier.

Son muesli terminé, Pete s'est amusé à lancer des sachets de sucre dans son bol en utilisant sa cuillère comme catapulte.

– On ne pourrait pas le persuader de retourner en Chine ? a-t-il suggéré.

– Je continue à préférer la solution radicale, a émis Emma. Mais c'est juste une opinion personnelle.

– Ouah, Em' ! Depuis quand tu te prends pour une dure de chez Dur ?

– Depuis que trois types se sont fait tuer sous ta fenêtre et qu'une flopée d'autres, bien vivants, rôdent autour de chez moi.

Je me suis écrasée. Pete a hoché la tête :

– Aucun doute là-dessus, j'ai posé une caméra. Son appartement est sous haute surveillance.

– Et c'est toi qu'ils attendent, m'a précisé Victor.

– En premier lieu, nous devons dresser la liste de nos atouts, a repris Emma.

De son sac, elle a sorti un engin du XXXIIIe siècle, une sorte d'hybride d'ordinateur portable et d'agenda électronique de poche qui devait figurer en bonne place au Panthéon de la technologie. Elle l'a ouvert comme un couteau à cran d'arrêt. Après quelques passes magiques et deux ou trois incantations ferventes – sans doute en latin –, elle a fait surgir un dossier sur l'écran à haute résolution.

– Regardez, j'ai commencé à dresser le tableau de nos ressources courantes, réparties en plusieurs catégories. Tout ce qui est tangible apparaît en foncé, l'intangible en clair, les ressources sociales sont en bleu, les moyens techniques en brun, l'argent et le capital financier en vert – bien sûr – , et les armes – ça tombe sous le sens –, en rouge.

Emma nous a regardés à tour de rôle, histoire de s'assurer qu'on suivait.

– Bon. Par exemple, sous M. Origami, j'ai inscrit «âne» en brun foncé étant donné qu'il entre dans la catégorie des moyens de transport tangibles, alors que j'ai classé sa bienveillance récurrente en bleu ciel, dans la colonne des ressources sociales intangibles.

Nouvelle pause, cette fois pour contempler son tableau d'un air perplexe, la tête penchée de côté, le sourcil froncé.

– Quoique… la bienveillance d'un immortel vaut probablement plus que celle d'une personne ordinaire, donc je devrais peut-être foncer cette entrée de vingt pour cent. Ce serait logique, non ?

– Terrifiant, a soufflé Pete en souriant.

– J'ai sûrement raté un épisode quand j'étais à l'hosto, a dit Denny, prêt à enfourner une bouchée de sa complète jambon-œuf-fromage-bacon-sauce-rosbif. Mais dans mon souvenir, le mec dont vous parlez est immortel, pas vrai ? Alors comment vous allez le liquider ? En le jetant dans le cratère d'un volcan ?

– J'ai travaillé pour Frodon, a souligné Pete.

– Il existe un sérum qui rend les immortels vulnérables, a explicité Victor. L'Ancêtre Lu est plus ou moins à l'origine de ce projet. J'ai moi-même participé aux recherches quand je travaillais pour lui. C'est comme ça que…

Sa phrase est restée en suspens.

– Ouais, a repris Denny. C'est comme ça que Jewel a pu se débarrasser du type qui m'a démoli le bras. Avant de lui envoyer une bastos.

Un silence d'une tonne s'est installé. Denny avait-il seulement conscience que Tsao était le père de Victor ? Emma et Pete ont fixé Victor avec une certaine appréhension. J'ai soudain eu honte de moi : je ne m'étais jamais demandé comment Victor avait réagi à la mort de son père. À l'évidence, ils n'étaient pas très proches l'un de l'autre. À l'instar de tous les immortels, Tsao avait abandonné sa famille. Victor ne l'avait jamais connu dans son enfance. Tous deux s'étaient rencontrés pour la première fois l'hiver dernier… au bout de cent vingt ans.

Cependant j'étais bien placée pour savoir que la mort d'un père est un sacré bouleversement.

Sans s'appesantir sur le sujet, maman m'avait confié ses sentiments après le décès de sa mère. « Ce n'est pas seulement la perte d'un être cher, m'avait-elle dit. Tant qu'on a ses parents, on se sent protégé, un peu comme dans une maison. Il y a un mur entre toi et l'extérieur. À la mort de ses parents, le mur s'écroule, il n'y a plus rien entre toi et la mort. »

J'ai regardé Victor. Son visage avait l'air si jeune et ses yeux si vieux. Est-ce que la mort de Tsao l'avait amené à penser davantage aux familles qu'il avait fondées, aux enfants qu'il avait engendrés et à toutes ces femmes qu'il avait aimées avant de me rencontrer ? Après la Seconde Guerre mondiale, il avait vécu pendant un certain temps en Indochine avec une dénommée Giselle. Est-ce qu'il l'avait aimée plus que moi ? Pensait-il encore souvent à elle ?

Comme cela devait être étrange de se tenir au pied de l'autel, le jour de son mariage, et de voir sa future femme avancer au bras de son père, tout en sachant que cette union n'est qu'une parenthèse, une simple période d'attente avant que la Mort ne vienne chercher sa chère épouse et ne l'escorte à son tour le long de l'allée centrale.

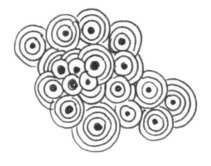

Beaucoup de Bruit pour du Cash (Heure des poches vides)

– Tu serais capable de fabriquer ce sérum, toi ? a demandé Emma à Victor.

– Franchement, ça me serait difficile. Je ne travaillais pas dans l'équipe qui l'a mis au point. Je sais à peu près comment ils ont procédé, mais Lu a conservé toutes mes notes. En plus il faudrait du matériel, et ça coûte cher.

– Combien ?

Victor a commencé d'énumérer en comptant sur ses doigts :

– Un thermocycleur PCR, ça fait déjà quinze billets de mille, un congélateur basse température, une centrifugeuse de table, un petit autoclave – dix mille de plus –, un incubateur, un système d'électrophorèse, des réactifs, des pipettes, des éprouvettes et tout le reste… Au total, soixante-quinze mille dollars – peut-être soixante-cinq en cherchant sur Internet, section thérapie génique.

– Soixante-quinze mille dollars ! me suis-je écriée. Aïe.

Emma a contemplé son tableau d'un air morose.

– Je sais combien Pete et moi pouvons mettre dans la caisse. Et toi, Victor ?

– Environ deux mille dollars.

– Hein ? ai-je glapi. Tu n'as pas revendu ton Chagall ?

– Qui est-ce qui t'a dit ça ?

– Mon petit doigt.

– En réalité, je ne l'ai pas vendu, je l'ai mis au clou. D'où ces deux mille dollars.

– Mais rien que les bouteilles de vin que tu as chez toi doivent valoir une…

– Laisse tomber, m'a coupée Victor. Pendant que je travaillais dans le bunker de Lu, ses hommes de main ont évacué tous les objets de valeur que je possédais. Soi-disant à titre de garantie de ma bonne conduite.

Il a consulté sa montre de gousset. Les aiguilles indiquaient un peu plus de dix heures du matin. Tel un crâne dépouillé de

[annotations manuscrites en marge : mini piano scientifique ; pour élevage de poule immortel ; appareil révolutionnaire pour épilation définitive]

sa peau, la montre de Victor ne comportait pas de cadran, si bien qu'on voyait en transparence l'engrenage des minuscules roues dentées qui tournaient en cliquetant, mesurant seconde par seconde un temps qui ne signifiait rien pour son propriétaire – fragile petit cœur mécanique qui s'éteindrait tôt ou tard, contrairement à l'être de chair et de sang qu'était Victor.

– Voici la seule chose qui me reste à vendre, a-t-il déclaré en brandissant sa montre.

– Laissons cela de côté pour l'instant, a décrété Emma. Tu disposes donc de deux mille dollars. Et toi, Denny?

Denny a fouillé ses poches et en a sorti un tas de billets chiffonnés ainsi qu'une poignée de petite monnaie.

– Deux cent sept dollars et quatorze cents.

Après avoir entré ces chiffres sur son agenda électronique, Emma a fait la grimace.

– Il manque combien? ai-je voulu savoir.

– Environ… soixante mille dollars.

– Ah !

Même ajoutés à la cagnotte, mes cent soixante dollars m'ont soudain paru dérisoires.

– Je veux bien vendre le *Clair de lune*, a dit Pete. Je pourrais en tirer…

– Quinze ou vingt mille? a hasardé Emma. On est encore loin du compte.

– La priorité numéro un, c'est donc d'amasser de l'argent, a conclu Pete. Sympa, comme perspective !

Emma l'a gratifié d'un sourire caustique.

– Notre priorité, c'est plutôt de trouver une planque où l'Ancêtre Lu ne pensera pas à venir nous chercher, a rectifié Victor. Il faudrait aussi songer à acheter quelques provisions, histoire de garder des forces.

– Vous pourriez venir vivre sur mon bateau, a suggéré Pete. Si ça ne vous embête pas de dormir à trois dans la même cabine, moi, je m'installerai sur le pont et…

– … et Victor en haut du mât, la tête en bas, comme une chauve-souris ! ai-je complété. Ou alors l'option B : un motel pas cher.

Profond soupir d'Emma :

– Si on veut lever des fonds, il va falloir qu'on monte un business plan pour créer une start-up biotechnologique. Afin d'accélérer les négociations avec d'éventuels investisseurs, on pourrait envisager une répartition du capital qui nous contraindrait à renoncer à la majorité de nos actions contre une avance d'un demi-million de dollars. Pour justifier l'urgence et le bien-fondé de notre projet, il faudrait une preuve tangible, un échantillon cellulaire de Victor ou je ne sais quoi… *Vampire Capitaliste !*

– Ça demandera combien de temps ? lui ai-je demandé.

– Si tout s'articule sans problème… à peu près trois mois. Mais il faut bien compter six mois avant d'avoir l'argent en banque. Personnellement, je ne vois pas d'autre solution. Et vous ?

– L'escroquerie en col blanc ? a émis Pete avec entrain.

– Hors de question ! a riposté Emma en lui lançant un sachet de sucre à la figure.

– Usurpation d'identité, utilisation frauduleuse de cartes de crédit, on n'a que l'embarras du choix, a poursuivi Pete, nullement découragé et toujours aussi jovial.

– Pour finir en prison ? Non merci !

– La prison ça craint, a concédé Pete. Mais la morgue, c'est pire.

– Il y a un autre moyen, ai-je avancé à contrecœur.

Fiole de Poison – Remix

Tous les visages se sont tournés vers moi.

– J'ai un échantillon de sérum.

– Quoi ?! (à l'unisson.)

– Et c'est maintenant que tu nous le dis ! m'a reproché Emma.

Victor s'est contenté de me regarder.

Je me suis mise à rougir, en proie au malaise honteux et confus d'être prise la main dans le sac. C'est vrai, j'aurais dû leur en parler plus tôt.

– Vous vous souvenez de ce parfum dont Jewel s'aspergeait à tout bout de champ ? Il contenait du sérum, et elle s'en est servie pour empoisonner Tsao. Juste après l'avoir abattu, elle est allée vomir dans la salle de bains. J'en ai profité pour fouiller dans son sac et j'ai raflé le flacon.

Denny a léché la sauce de sa saucisse de poulet avec un regain d'enthousiasme.

– Trop forte, Cathy ! m'a-t-il félicitée.

– Qu'est-ce que tu as d'autre dans ta besace ? s'est enquis Pete. Des gousses d'ail, un pieu de bois, une fiole d'eau bénite ?

– Le sérum suffit amplement, a déclaré Emma.

Elle s'est lancée dans le reformatage de son tableau, fredonnant le joyeux air des experts-comptables.

– Cela représente une économie d'argent et de temps considérable ! a-t-elle ajouté.

– C'est quand même bizarre que tu ne nous en aies jamais parlé, a insinué Victor d'une voix douce mais avec un éclat dur dans le regard.

– Sur le coup, je n'y ai pas accordé d'importance, ai-je marmonné, les yeux rivés sur mon assiette. Et puis tout est allé si vite, c'était du délire !

– Elle n'avait encore jamais vu quelqu'un se faire tuer, a placé Denny.

– En plus, c'est une chose dont je ne suis pas très fière, ai-je confessé. Avoir volé dans le sac de Jewel.

– Oui, je connais tes réticences à l'égard du vol, a lâché mon copain mine de rien.

J'ai de nouveau piqué un fard, cette fois pour flagrant délit de mensonge. Dans un passé pas si lointain, j'étais entrée par effraction chez Victor, non pas à une mais à deux reprises. Je lui avais dérobé certains documents, et il le savait pertinemment. Je m'étais aussi introduite dans son labo quand il travaillait chez Intrepid Biotech. Et là encore, j'avais subtilisé quelques bricoles.

– À mon avis, tu étais très contente d'avoir un atout dans ta manche, a finement analysé Victor. Détenir une arme secrète contre les immortels, c'est une façon d'être à égalité.

Son regard a erré du côté de Denny avant de revenir se fixer sur moi.

– Une *autre* façon d'être à égalité, a-t-il souligné.

– Qu'est-ce que tu veux dire, espèce de tordu ? ai-je riposté avec véhémence, trop contente de céder à la rage plutôt qu'à l'humiliation.

– Ne fais pas l'innocente, Cathy.

Le corps souple de Victor était tendu comme un arc prêt à décocher une volée de flèches. Quand il était dans cet état, c'est qu'il cherchait la bagarre.

– Tu décides de disparaître sous prétexte de nous protéger, a-t-il poursuivi en traînant la voix. Du coup, tu laisses en plan une amie brillante, un pote pirate informatique et un copain immortel – du moins jusqu'à nouvel ordre – pour t'offrir une gentille petite virée avec… (balancement de tête vers Denny assis en face de lui, avec son bras dans le plâtre et sa tronche de clown déglingué) … avec la seule personne qui s'est avérée totalement incapable de te défendre contre l'Ancêtre Lu, nous en sommes tous témoins.

– Ta gueule ! a éructé Denny en se jetant sur lui. Si tu l'ouvres encore, je te…

– Avec une désinvolture désarmante, Victor a esquivé le coup maladroit que lui destinait Denny et, d'une méchante torsion, lui a bloqué le poignet. Denny est venu s'écraser la joue contre la table, la bouche tordue, cherchant l'oxygène comme un poisson hors de l'eau. Le distributeur de serviettes a tremblé sous le choc et la pyramide de capsules s'est écroulée.

– Victor, arrête de faire le con ! me suis-je écriée. (Ce qui m'a encore valu un regard outré de la part de la grosse blonde à la table d'à-côté.)

– Vas-y, Kung Fu, a grincé Denny entre ses dents. Te gêne pas, casse-moi la main, ça impressionnera grave Cathy. Les filles adorent ce genre de truc.

– Tais-toi, lui a ordonné Victor.

– Sans blague, mec, tu crois vraiment qu'elle en pince pour toi ? a insisté Denny malgré la douleur grandissante qui le rendait livide. Tu veux que je te dise ? C'est moi qu'elle kiffe.

– La ferme, tous les deux ! ai-je hurlé.

Pete a empoigné Victor par les épaules :

– Lâche-le, mon pote.

Comme ça ne suffisait pas, il l'a forcé à pivoter pour entrer dans son champ visuel :

– C'est bon, d'accord ?

Victor a fermé les paupières, hoché la tête et abandonné la partie.

– C'est lui qui a commencé, a-t-il grondé.

– Allez promener votre testostérone ailleurs, vous deux, a dit Emma d'un ton sec.

Victor s'est ressaisi :

– Tu as raison.

Puis il a regardé Denny au fond des yeux :

– Je regrette, c'était minable de ma part.

– Quoi ? De s'en prendre à un infirme ? J'en ai marre de ta condescendance de prince charmant !

85.

De sa main valide, Denny a raflé une serviette en papier afin de nettoyer sa chemise imbibée de sauce, conséquence de sa violente rencontre avec l'assiette.

– Écoute, lui ai-je dit, n'essaie pas de m'impliquer dans vos histoires de rivalité masculine, je n'ai rien à voir là-dedans, OK ?

– Bien sûr que si, a objecté Victor. On est les premiers concernés : toi, moi, et ton père aussi.

– Je ne vois pas ce que mon père a…

– **C'est de lui que tout est parti !** m'a coupée Victor.

Il s'est tu, le temps de se calmer, puis a repris d'une voix plus posée :

– Cathy, je suis immortel, oui. Mais ce n'est pas moi qui t'ai laissée tomber.

– Pour l'instant.

On s'est observés en chiens de faïence pendant quelques secondes. Soudain, les épaules de Victor se sont affaissées.

– Qu'est-ce que tu attends de moi, Cathy ? Que faut-il que je fasse pour mériter ta confiance ? Que je tombe raide mort ?

– Ce serait déjà un bon début.

Victor a détourné son regard. De nouveau, il a tiré sa montre de gousset et l'a gardée en main, contemplant les mouvements infimes et réguliers du mécanisme.

– C'est peut-être ce que je devrais faire.

– Ça va, Cathy ? m'a demandé Denny en posant sa main sur la mienne.

Je me suis dégagée brusquement. Mes yeux étaient comme des braises, j'avais les joues en feu. Laissant mon sac sur la banquette, je me suis glissée hors du box en disant :

– J'ai un portable à récupérer au fond de la poubelle. Je reviens tout de suite.

Grand Nettoyage (Heure de l'Assassin Surdimensionné)

Après avoir repêché mon téléphone au milieu de détritus divers et variés, je me suis rendue aux toilettes. En priorité pour me laver les mains, mais aussi parce que je ne me sentais pas franchement prête à affronter les autres. J'avais dormi quatre heures en l'espace de deux jours, récolté mon lot d'émotions fortes pour les vingt années à venir mais, curieusement, la présence de mes amis ne faisait que rendre les choses encore plus dures. J'avais tout mis en œuvre – courage compris – pour m'évanouir dans la nature. À présent, même si j'étais heureuse que ma cavale ait tourné court – j'en avais eu les larmes aux yeux de les voir là, qui m'attendaient dans la crêperie si chère à Denny –, ce moment de répit m'avait paradoxalement vidée de mes forces.

J'étais en train de m'asperger le visage d'eau froide quand quelqu'un a poussé la porte des toilettes pour dames. Par chance, le ruissellement de l'eau dissimulait mes larmes, lesquelles coulaient à flots depuis que j'avais quitté la salle du restaurant. J'ai toujours détesté qu'on me voie pleurer.

J'ai jeté un coup d'œil dans le miroir du lavabo, redoutant d'apercevoir Emma fermement décidée à avoir une conversation entre filles. Mais non, ce n'était pas Emma. C'était ma voisine de box, celle qui m'avait foudroyée du regard à plusieurs reprises. Super, il ne manquait plus qu'elle. J'ai continué à l'observer à la dérobée. Avec son tailleur pantalon rouge fraise et sa face joufflue affublée d'un grand nez pointu, elle offrait une indéniable ressemblance avec la Petite Poule Rousse. En version obèse.

La Grosse Poule Rousse s'est mise à farfouiller dans son sac, sans doute à la recherche d'un poudrier ou d'un rouge à lèvres. En tendant le bras pour attraper une serviette, mes yeux ont de nouveau effleuré le reflet de GPR dans la glace et je me suis arrêtée net, vibrant telle une flèche plantée au cœur d'une cible, le regard soudain capté par un bref éclat métallique au creux des replis

adipeux de son cou, juste à la jonction de son chemisier couleur ketchup et de son opulente poitrine. La femme portait une chaîne en argent à laquelle était accroché un pendentif en bronze à moitié caché sous son chemisier mais que l'on devinait rond et à peu près de la taille d'une pièce de monnaie.

Mon cœur s'est arrêté. J'ai attendu qu'il redémarre, mais comme il prenait gentiment son temps, j'ai décidé de me passer de lui. *Pas de panique, conduis-toi normalement*, me suis-je exhortée. Au mépris de cet excellent conseil, j'ai laissé échapper un cri effaré, foncé dans le cabinet le plus proche et claqué la porte derrière moi.

Bonjour la conduite normale !

L'Énorme Volatile Rouge a sorti de son sac un objet qui, à en juger par le bruit, devait être assez volumineux. Peut-être un rouge à lèvres aussi gros qu'une bombe de peinture, accessoirement un revolver. Coincée contre le siège des toilettes, je me suis penchée, la tête en bas, pour observer ce qui se passait de l'autre côté. Sur le rectangle de carrelage blanc délimité par l'espace entre le sol et le bas de la porte, me sont apparus deux pieds chaussés d'escarpins rouges à talons plats. Au lieu de tourner le verrou, chose qui aurait exigé une coordination des mouvements qui me faisait cruellement défaut en cet instant, j'ai libéré le torrent d'adrénaline qui déferlait dans mes veines en ouvrant la porte d'un grand coup de pied.

J'ai eu la double satisfaction d'entendre un « Clang ! » retentissant assorti d'une bordée de jurons. La Monstrueuse Poule Rouge a reculé en chancelant et s'est adossée au plan de Formica blanc, les mains plaquées sur le nez que j'espérais vivement avoir fracassé.

Je me suis ruée vers la sortie, mais Kentucky Fried Woman a effectué une volte-face et m'a balancé son pied dans le ventre dans le plus pur style Bruce Lee. Je me suis recroquevillée comme un vieil accordéon à bout de souffle. La Grosse Poule Cramoisie est passée à la phase suivante : de sa main incrustée de bagues, elle m'a giflée à toute volée. J'ai finement paré le coup avec mon oreille droite avant de m'effondrer.

Le carrelage était dur et froid contre ma joue.

J'ai roulé sur moi-même pour esquiver l'attaque n° 3 et reculé tant bien que mal jusqu'à ce que ma tête heurte la poubelle en inox où atterrissaient les serviettes en fin de vie. Je suis restée assise là, saignant tranquillement de la lèvre, tandis qu'un intéressant brouillard noir se formait devant mes yeux hagards. ChickenZilla s'est accroupie près de moi dans un crissement de coutures tendues à craquer.

J'ai compris qu'elle avait retrouvé son arme en sentant un canon s'immiscer entre mes dents.

– OK, trésor, m'a-t-elle dit, exactement de la même voix que ma maîtresse de CE2. Je vais compter jusqu'à trois, et tu me feras un joli sourire. Un…

Dans ma bouche, le canon du revolver avait un goût de ténèbres.

C'est alors que la porte des toilettes s'est ouverte au ralenti. J'ai d'abord cru à une hallucination, une forme d'expérience subjective durant laquelle toute ma vie allait défiler devant mes yeux à l'approche de la mort. Mais le temps a continué de suspendre son vol, signe caractéristique de l'entrée en scène d'un immortel.

Soudain le revolver s'est volatilisé comme par enchantement, et l'Énorme Rouquine a voltigé dans les airs avant de s'écraser contre le miroir avec une violence inouïe. Une pluie d'éclats argentés a dégringolé en douceur. Jun, la fille de l'Ancêtre Lu, était là, au milieu des toilettes pour dames du Royaume des Crêpes. Elle était habillée tout en blanc, avec cette silhouette mince, élégante et mortellement dangereuse que je lui connaissais, et ses longs cheveux noirs qui se balançaient tel un pompon au pommeau d'une épée.

Le temps a repris son cours normal.

89.

– Qu'est-ce que vous faites là ? ai-je demandé d'une voix pâteuse.

Ma meurtrière en puissance continuait à barboter dans une mare de bris de verre. Jun l'a toisée de la même façon qu'on examine une guêpe estropiée avant de lui marcher dessus. GPR a écarquillé les yeux d'effroi en la voyant tirer un long couteau à manche d'ivoire.

– Elle vous espionnait, je l'espionnais, m'a répondu Jun, toujours aussi avare de paroles.

Elle s'est avancée, indifférente au gémissement du verre sous ses pieds menus, puis a empoigné GPR par les cheveux et, d'une brusque poussée, l'a forcée à se pencher au-dessus du lavabo tout en lui plaquant son couteau sur la gorge.

– Non ! ai-je crié.

Les prunelles de GPR se sont agrandies d'un cran. Une grosse veine palpitait le long de son cou, à quelques millimètres de la lame.

– Non ? a repris Jun avec surprise. Et pour quelle raison ?

Je me suis humectée les lèvres :

– Je n'en sais rien. Mais ne la tuez pas. Ce serait une erreur.

Jun a incliné la tête, pensive.

– Vous m'avez déjà empêchée de tuer Petite Sœur. Cette fois-là, je crois que vous avez eu raison.

Elle a jeté un coup d'œil à l'agent des Lucky Joy Cleaners, qui tentait désespérément de mettre une distance plus raisonnable entre la chair grasse de son cou et le tranchant acéré de la lame. Elle avait reçu un éclat de verre sous l'œil gauche, et des gouttelettes rouges semblables à des larmes de sang roulaient le long de sa joue.

– Petite Sœur ne méritait pas la mort. Celle-là, si.

Je me suis relevée, un peu groggy.

– Que Dieu nous protège d'avoir ce que nous méritons.

J'ai ramassé le revolver de la Grosse Rousse. Ses yeux se sont faits implorants :

– Pitié ! J'ai une famille ! Je n'ai rien contre vous en particulier, je vous le jure.

J'ai braqué l'arme sur sa plantureuse poitrine. Mes mains tremblaient.

– N'empêche que je me suis sentie vachement concernée !

GPR m'a regardée, terrifiée, attendant de voir si j'allais appuyer ou non sur la détente. Moi-même j'étais assez curieuse de le savoir. Il ne m'était jamais arrivé de vouloir tuer quelqu'un. Mais là, à cet instant précis, avec ces décharges massives d'adrénaline qui irradiaient mes veines, j'ai soudain eu envie de lui faire mal. Qu'elle paie pour la trouille qu'elle m'avait fichue.

J'ai inspiré à fond, puis posé le revolver près de son sac.

– Voici ce que vous allez faire, Petite Poule Rousse. Vous allez partir ailleurs, dès aujourd'hui, et ne jamais revenir dans le coin.

– Mais j'habite dans un HLM à…

Jun l'a rappelée à l'ordre en lui tapotant la glotte avec le plat de la lame. La femme s'est tue aussi sec.

– Tenez-vous tranquille, ai-je sifflé, ou bien je laisse cette demoiselle assouvir ses envies de meurtre.

D'un bref coup d'œil, la Grosse Rousse a sondé le regard de Jun. Elle a dégluti avec difficulté, des perles de sueur ont fait irruption un peu partout à la surface de son visage rond.

– Je ferai tout ce que vous voudrez, a-t-elle murmuré.

J'ai vite passé en revue le contenu de son sac.

– Vous allez déménager, loin d'ici. Dans un état dont le nom commence par la lettre I.

– La lettre I ? a repris la femme, perplexe.

J'ai ouvert et rapidement inspecté son portefeuille. Trois permis de conduire établis sous trois noms différents, deux cartes de crédit, une carte de fidélité de supermarché, une carte d'assurance Triple A, et un papier provenant de la bibliothèque municipale de San José.

– Une fois là-bas, vous prendrez un autre nom. Mary Jo, par exemple.

– Mary Jo. Entendu.

– Et vous vous trouverez un job de vendeuse de beignets.

– Vendeuse de beignets, a répété Kentucky Fried Woman, de plus en plus décontenancée. Est-ce qu'il faut absolument que ce soit des beignets ? a-t-elle timidement ajouté. Vendeuse dans une boulangerie, ça pourrait aller ?

– Oui, ai-je répondu dans ma grande magnanimité.

J'ai compté l'argent contenu dans le portefeuille. Quatre-vingt quatre dollars et des poussières. J'ai prélevé cinquante dollars ainsi que le permis de conduire correspondant à sa véritable identité – celle qu'on retrouvait sur la carte de bibliothèque, une des cartes de crédit et la carte de Sécurité sociale. Après avoir remis le reste en place, j'ai rangé le portefeuille dans le sac. Puis je me suis approchée de GPR et je lui ai enfoncé mon index dans la clavicule. La Rouquine a fait le dos rond et reflué vers le mur, comme si elle cherchait à passer à travers. Quelques éclats de miroir ont encore dégringolé dans la foulée.

– Est-ce que vous avez peur des gens qui vous ont engagée ? ai-je voulu savoir.

GPR a hoché la tête en silence.

– Alors vous devriez peut-être vous demander pourquoi ils ont si peur de moi, ai-je souligné.

– C'est surtout elle que je trouve terrifiante, m'a avoué Roussou en lançant un regard anxieux en direction de Jun.

– Vu le bruit que nous avons fait, ça ne m'étonnerait pas que le responsable du restaurant soit en train d'appeler la police, a fait remarquer Jun avec désinvolture, comme si la perspective d'en découdre avec la totalité des forces de l'ordre de San Jose ne l'émouvait guère.

Personnellement, j'ai estimé qu'il était grand temps de filer.

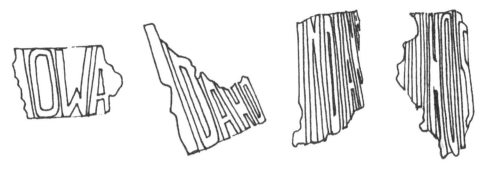

Billes et Queues (Heure des trompettes de la mort)

On a quitté le Royaume des Crêpes en quatrième vitesse. Victor et moi avions encore des comptes à régler tous les deux, mais après le sanglant saccage des toilettes et qui sait combien de Lucky Joy Cleaners dans les parages, il nous a paru raisonnable de mettre une sourdine à nos problèmes personnels pendant quelques heures, afin de nous concentrer sur les moyens de rester en vie. Après avoir récupéré mon sac dans le box et vérifié que le flacon de parfum s'y trouvait toujours, j'ai fichu le camp du resto et rejoint les autres sur le parking. D'un commun accord, nous avons décidé de suivre Pete, qui connaissait soi-disant l'endroit idéal pour tenir un conseil de guerre.

Billes et Queues
Votre halte sur l'Autoroute de l'information

– C'est super ici, non ? s'est exclamé Pete en pénétrant le premier dans les lieux.

Je suivais derrière avec Emma ; ensuite venait Denny qui traînait en chemin, contemplant bouche bée la yuppification de tout ce qu'il chérissait. Les immortels fermaient la marche : Jun,

gracile faucheuse en sandales chinoises, et Victor encore plus
nerveux qu'à l'accoutumée. Il braquait ses yeux dans tous les
sens, tel un homme qui découvre à son réveil que le monde lui est
soudain devenu totalement étranger.

– C'est la salle de billard la plus technologiquement
développée du monde ! a poursuivi Pete avec enthousiasme.
Regardez ça !

Il nous a désigné le système de vidéo en circuit fermé
installé au-dessus de chaque table et la batterie d'écrans plats qui
permettaient de suivre les parties, avec reprise au ralenti des plus
beaux coups. Une douzaine de types en pantalon large ou short
kaki occupaient l'espace entre le bar et les tables alentour. Tous
arboraient une chemise de sport à manches courte, conforme aux
Normes du Parfait Concepteur de Logiciels. La plupart d'entre
eux buvaient de l'eau minérale ou du soda light, sauf deux ou
trois qui exhibaient des bouteilles de bière provenant de brasseries
ultra-confidentielles et répondant à des noms genre « Tendre
Tatou ». Côté cheveux, on trouvait de tout : hirsutes ou disciplinés
à grands renforts de mousse ou de gel, mais souvent menacés par
la calvitie. À de rares exceptions près, tous ces mâles avaient du
poil au menton. Cela allait du bouc de la fin des années 1990 à la
barbe modèle terroriste, en passant par une ou deux barbichettes à
la Klingon et un buisson touffu façon Homme des bois. Ils avaient
tous des traces de craie bleue sur leur chemisette, et pour autant
qu'on pouvait en juger, pas un ne touchait sa bille.

– Doux Jésus ! a soupiré Denny, anéanti par le spectacle. C'est
la mort du billard !

– Ces mecs ont pensé à *tout* ! s'est emballé Pete.

Il a élu une table près du bar et aussitôt branché un câble dans
une prise à portée de main.

– Tu peux te connecter n'importe où, la Wi-Fi coule à flots,
et ils ont de la limonade mexicaine à tous les parfums possibles et
imaginables, y compris citron vert, mangue, pastèque et tamarin.

– Tamarin ? a gémi Denny tout en continuant à regarder autour de lui avec consternation.

– C'est un fruit, lui a expliqué Emma. À moins que ce ne soit une épice, je ne sais plus. En tout cas, c'est ce qui donne son goût à la sauce Worcestershire.

– De la limonade à la sauce Worcestershire ? (Denny a fermé les yeux.) Dans une salle de billard, les seuls parfums qu'on devrait trouver, c'est : sang, sueur, larmes et huile de moteur. Rien d'autre.

– Ouais, eh ben, bienvenue dans la civilisation, mon pote ! a claironné Pete en ouvrant son ordinateur portable. On n'est qu'à un ou deux blocs du grand campus d'Adobe et à trois pas de CISCO systems. On est un peu loin de l'empire du muscle pur et brut, tu comprends.

– Hun-hun, a fait Denny sans aucune conviction.

– Tu vois ce type, là-bas ? a poursuivi Pete avec un grand sourire.

– Le gros lard en T-shirt Yoda qui vient de couler sa bille de choc ?

– À quinze ans, il a bloqué tous les services de la santé publique et des affaires sociales en attaquant leur DNS, tout ça parce que le loyer de sa mère venait d'être augmenté. Comme il était mineur, le juge l'a envoyé passer trois mois dans un centre pour jeunes délinquants. À sa sortie, il a abandonné ses études en seconde pour aller travailler dans la sécurité informatique avec un salaire de départ de deux cent mille dollars par an.

Denny a cligné des paupières.

– On peut s'acheter un paquet de figurines de Yoda avec deux cent mille dollars, a lâché Emma, rêveuse.

– Ça t'excite, champion ? a lancé Victor à Pete avec un drôle de sourire. Est-ce que tu as l'étoffe d'un arnaqueur, d'un cyber-gangster au cœur froid comme la glace ?

– J'ai quelques atouts dans ma manche, a répondu Pete d'un ton laconique, tout en guettant le démarrage de son ordi.

Cathy, file-moi la carte d'identité de la femme qui t'a agressée.

J'ai obtempéré.

– À quoi ça va te servir ? ai-je voulu savoir.

Pete a ouvert son navigateur et tapé www.luckyjoycleaners.fr.

– Les mots de passe sont assez mal sécurisés sur ce site. Avec
un peu de patience et quelques recherches dans le dictionnaire,
je suis quasi sûr de passer le premier cap. Mais ce que je veux,
c'est entrer côté serveur, de façon à épier leurs communications
internationales.

Pete était tellement concentré sur l'écran que sa voix s'est
réduite à un murmure :

– Pour ce type de piratage, avoir des données sur un utilisateur
déjà inscrit, c'est un gain de temps appréciable.

Victor s'est mis à rôder autour de la table.

– Ça va prendre longtemps ?

Haussement d'épaules de Pete.

– Bon, en a déduit Victor, je vais aller jouer au billard ou…
Tiens, je m'offrirais bien une bière ! Je n'en ai pas bu depuis…

Il s'est tu et a secoué la tête en souriant, replié dans l'intimité
de ses souvenirs.

– … depuis une éternité !

Tandis qu'il se dirigeait vers le bar, j'ai remarqué que Jun le
suivait du regard.

– Allons faire une partie, m'a dit Emma en m'attrapant par
le poignet. Pete en a pour un moment.

– On devrait peut-être rester pour l'aider à enfreindre la loi
et tout le bazar ?

Emma a levé les yeux au ciel :

– Cathy ! Tu n'as pas dormi depuis trente heures et tu ne sais
même pas te servir des raccourcis de ton portable. Allez, viens,
a-t-elle ajouté en m'obligeant à me lever. Je crois que Pete pourra
se passer de ton assistance technique.

Parfum pour Deux (Heure de la Planque)

Emma et moi avons choisi un billard, Victor et Jun celui d'à côté, et Denny s'est installé entre les deux sur un tabouret, le bras gauche toujours plaqué contre son torse et tenant de la main droite une bouteille de bière ordinaire à laquelle il semblait se raccrocher comme un naufragé à un morceau d'épave.

Emma a mis des heures à installer nos boules. Finalement, elle a trotté à l'extrémité de la table et a placé la bille blanche dans la zone de départ.

– Eh ben ! c'est pas trop tôt, ai-je marmonné.

Son geste à peine amorcé, elle s'est arrêtée, un œil réprobateur fixé sur le triangle.

– Qu'est-ce qu'il y a, encore ?

– Il n'est pas bien centré.

– Emma ! On s'en fiche que ce triangle soit équilatéral ou pas !

– Béotienne.

J'ai serré les dents.

À quelques mètres de moi, Jun s'apprêtait à jouer. Elle s'est penchée au ras du tapis, le corps affûté comme une lame de poignard, son regard laser filant le long de la queue. Puis elle s'est immobilisée – pâle statue au teint de neige éternelle, casquée d'une longue chevelure noire et brillante qu'on aurait cru gravée dans un bloc d'obsidienne, avec des yeux aussi déserts que des étoiles. Elle a reculé sa main, très, très lentement, luttant millimètre par millimètre contre la gravité – ou le temps –, avant de lâcher son coup. La main est partie comme une flèche, la bille blanche a fait exploser le triangle. Sous le choc, les boules ont giclé aux quatre coins du tapis, tournoyant sur elles-mêmes et s'entrechoquant dans des claquements secs avant de tomber dans les poches. Une, deux, trois, quatre. Toutes pleines.

– Joli coup, a commenté Denny entre deux gorgées de bière. Au fait, euh… on n'a pas été présentés, je crois…

Jun est restée d'une souveraine indifférence.

– Ah oui, désolée, ai-je dit. C'est Jun, la fille de l'Ancêtre Lu.

– Sa fille ? a fait Denny avec un regain d'intérêt. Hum.

– Quatre billes empochées, a déclaré Jun d'une voix froide. Elle s'est penchée : le temps s'est arrêté. *Tchac. Tchoc. Plop.*

– Alors elle est des Leurs, a conclu Denny.

– Ouais ! ai-je répliqué à voix haute. Ils forment un joli couple, hein ?

*

Emma a (vaguement) réussi à casser le triangle mais n'a coulé aucune bille. Donc c'était mon tour. À côté, Jun en était à son troisième coup. Au lieu de suivre le jeu, Victor m'observait avec ostentation. J'ai essayé de l'ignorer, mais la brûlure de ses deux yeux dans mon dos me rappelait sans cesse à l'ordre. Je me suis penchée sur la bille blanche et l'ai heurtée violemment, avec la précipitation affolée d'une ménagère en train de chasser les mouches à l'aide d'une tapette. La pointe de ma queue a ripé et s'est plantée dans le feutre.

– Waouh ! Quel coup de maître ! a ironisé Victor en levant sa bière face à l'écran plat.

Avec un tact exquis, la vidéo retransmettait déjà ma performance au ralenti. J'ai senti mes joues s'embraser.

Il était à peine onze heures du matin. La journée promettait d'être longue. Très longue.

Emma s'est approchée de moi. Tout en regardant le tapis, elle m'a glissé à voix basse :

– Si je comprends bien, c'est Jun qui a laissé trois cadavres sous ta fenêtre.

Jun et Victor continuaient de jouer avec des gestes vifs et une précision chirurgicale, circulant autour du billard tels des danseurs de tango, Victor et sa chaîne de montre tintant à sa hanche, Jun et sa longue chevelure noire bruissant comme de la soie à chaque mouvement.

– Elle m'énerve avec ses cheveux ! ai-je grondé entre mes dents. Non mais sans blague, tu les as vus ? C'est l'accord parfait !

– Parfait, sauf que c'est toi qu'il aime, a nuancé Emma en me donnant une petite tape sur la tête.

– Ouais. Pour l'instant.

J'ai émis un petit « *pff* ! » sceptique, comme ma mère chaque fois qu'on lui promet que les impôts vont baisser ou mes notes augmenter.

– Dans vingt-cinq ans, je ressemblerai à ma mère. Et dans cinquante ans, à la *sienne* !

– Berk !

– … d'autant plus que cette brave dame est morte vers 1910 ; elle ne doit pas être des plus sexy à l'heure actuelle.

À l'issue d'une deuxième tentative aussi infructueuse que la précédente, Emma m'a lancé :

– À toi !

Puis elle a jeté un coup d'œil en direction du billard voisin et ajouté en toute franchise :

– Je ne la trouve pas si canon que ça.

– Tu plaisantes ? Elle a sans doute fait la couverture de tous les catalogues de maillots de bain depuis 1628 !

J'ai observé Jun qui se penchait en prévision du coup suivant : chute impeccable des cheveux, beauté sévère des yeux et du pli de la bouche, corps se mouvant gracieusement dans ses vêtements.

– En tant qu'artiste, j'affirme que c'est une très belle femme, ai-je dit à Emma.

J'ai visé et frappé une de mes billes au petit bonheur la chance, estimant qu'elle finirait bien par tomber tôt ou tard dans un trou, pour peu qu'elle roule suffisamment longtemps. À l'évidence, ce n'était pas la bonne tactique.

– N'empêche qu'elle n'est pas très *fun*, a chuchoté Emma. Et pourtant, je suis facile à dérider, même les maths m'amusent !

— Là-dessus, je suis d'accord avec toi. Sa mère a dû oublier de lui donner une cuillère d'humour avant les repas.

— Si Victor a craqué sur toi, c'est qu'il aime les filles marrantes, non ?

— Ouais… Ou les catastrophes ambulantes, ai-je soupiré.

J'ai envoyé la bille blanche dans une poche. Emma l'a récupérée, puis s'est adressée à moi sur le ton doctoral que je lui connaissais bien.

— Cathy, est-ce que tu te souviens de ce que Jun t'a dit, la première fois que tu l'as rencontrée ?

C'était il y a combien de temps déjà ? Environ six mois. J'ai essayé de me rappeler notre conversation.

— Je voulais m'arrêter au bord d'un ruisseau, elle m'a dit qu'on n'avait pas le temps, alors je lui ai répondu qu'on allait le trouver parce qu'il était hors de question que j'aille à la mort avec un T-shirt plein de vomi.

Emma a éclaté de rire :

— Tu vois que tu es drôle ! Mais c'est surtout la suite qui est intéressante…

Elle a lorgné vers le billard voisin pour s'assurer que Jun et Victor n'écoutaient pas. Denny regardait ailleurs mais il avait l'oreille qui traînait.

— Elle t'a demandé si tu préférais les fleurs naturelles ou artificielles, a poursuivi mon amie. Il est clair que l'Ancêtre Lu a un faible pour Petite Sœur, l'enfant mortelle, alors qu'il n'éprouve pas grand-chose pour sa fille immortelle.

— Tu es en train de me dire que Victor m'adore et que nous vivrons heureux ensemble, même quand mes seins commenceront à flirter avec mon nombril ?

— Cathy !

— C'est à ce moment-là que je me rappellerai que l'Amour recèle de multiples splendeurs, mais que des fesses en ballon de volley sont source de bonheur éternel.

Pour une fois, Jun venait de rater son coup. Victor s'est approché d'elle, tout sourire.

– Elle n'a qu'à attendre, ai-je conclu.

*

Emma et moi avons enfin terminé notre deuxième partie, ma partenaire s'étant débrouillée pour donner le coup de grâce à la bille numéro un et empocher la noire. À la table d'à côté, Victor, l'air absent, soufflait dans le goulot de sa bouteille vide. Le son grave et mélancolique qui en sortait m'a rappelé le soir où je l'avais emmené au cimetière des éléphants. Sauf qu'aujourd'hui, il avait bu de la bière et non de la limonade. Et c'est à Jun, et non à moi qu'il a posé cette question :

– Est-ce que tu crois que le sexe est meilleur quand on est mortel ?

Cette remarque a capté l'attention de tout le monde. Même Denny a brusquement pivoté sur sa chaise.

– Est-ce que tu te souviens encore de cette époque ? a poursuivi Victor.

Il s'est remis à jouer de la corne de brume. Jun lui opposait le silence méprisant de quelqu'un qui vient de trouver un rat dans son bol de soupe.

– Personnellement, mes souvenirs sont un peu flous, mais j'ai l'impression que c'était mieux «avant»… Avant que je me transforme en monstre immortel, artificiel et inhumain.

– Pourquoi est-ce qu'il boit de la bière ? m'a glissé Emma à l'oreille.

– Tu préférerais qu'il s'en enduise le corps ou qu'il se la verse sur… ?

– Arrête tes bêtises ! Ce que je veux dire c'est que, vu sa constitution, il doit métaboliser l'alcool immédiatement.

– En d'autres termes, il ne peut pas être ivre ?

Denny a lâché un rot et commenté :

– Pauvre gars, je le plains !

À nouveau, je me suis offert le plaisir d'observer la tête que tirait Jun, puis j'ai souri en douce.

– Même sobres, certaines personnes peuvent être hilarantes, ai-je lâché.

– Oh ! s'est soudain exclamée Emma.

Les yeux plissés, elle étudiait Victor avec l'attention d'un entomologiste en présence d'un spécimen rarissime.

– Quoi ?

– Je crois que je viens de comprendre quelque chose… Mais j'aime mieux ne pas en parler pour l'instant.

*

– Je suggère qu'on se concentre sur les moyens d'appliquer le sérum à mon père, a déclaré Jun d'une voix sèche.

– Excellente idée, a approuvé Victor. Comme ça, il pourra me dire s'il prend davantage son pied qu'auparavant !

*

Un peu plus loin, Pete a laissé échapper un cri et levé les poings en signe de victoire. Victor en a raté son coup.

– Ça y est, tu as forcé la porte de Lucky Joy ? ai-je demandé.

– Et en beauté !

Pete fixait l'écran, aux anges, les genoux tremblants d'excitation et les doigts pianotant sur le clavier.

– Je chauffe, les filles. Je brûle !

Quelque part dans le monde de l'intranet, les serveurs de Lucky Joy ont émis le « *Bloup* » caractéristique de la capitulation.

– Yes ! a exulté Pete. Mortel ! Je suis trop fort !

*

— Attends, Cathy, j'ai une idée, m'a dit Emma quelques minutes plus tard. Je reviens dans deux secondes.

Après avoir posé sa queue contre la table, elle est allée s'acheter un soda au distributeur automatique, puis elle a disparu dans les toilettes pour dames. De son côté, Victor est parti au bar commander une autre bière, nous laissant seules Jun et moi.

Je tiens à dire pour ma défense que c'est le manque de sommeil qui m'a rendue aussi arrogante. Même une modeste sieste dans la voiture m'aurait empêchée de m'approcher de Miss Léopard des Neiges 1628 et de lui demander sans aucune retenue :

C'est une bonne excuse, j'insiste !

— Est-ce que tu as envie de lui, oui ou non ?

Je m'attendais à ce que Jun me casse le nez avec sa queue de billard, mais, à ma grande surprise, elle a pris ma question très au sérieux. (Ce qui n'avait rien d'étonnant, en fait, puisqu'elle prenait *tout* au sérieux.) Après quelques secondes d'introspection, durant lesquelles le train de ses pensées semblait descendre le long d'une ancienne voie ferrée à demi désaffectée, elle m'a répondu :

— Vous et moi, nous avons plusieurs points communs. En premier lieu, un père qui ne nous aime pas autant qu'on le souhaiterait.

Alors là, je ne m'attendais pas à ça. Cette remarque m'a fait au moins autant de mal qu'un coup de queue.

— Pendant longtemps je me suis demandé pourquoi mon père avait une préférence aussi marquée pour Petite Sœur. J'ai fini par comprendre que…

Laissant mourir sa phrase, Jun a tendu la main vers Denny et effleuré la longue cicatrice qui lui barrait la joue. Denny s'est raidi au contact des doigts blancs et froids. Il n'y avait rien de charmeur dans ce geste. C'était une caresse triste, désolée, presque désemparée. Une veuve solitaire retrouvant un objet ayant appartenu à son mari.

— Le désir est une blessure comme une autre, a finalement continué Jun. Je dois cicatriser trop vite. L'amour requiert une grande part de vulnérabilité. Comment un homme pourrait-il aimer ce qu'il ne peut pas blesser ?

Sa main s'est écartée de Denny.

— Est-ce que j'ai envie de lui ?

Dans un haussement d'épaules, Jun s'est repliée sur elle-même, les yeux rivés sur Victor qui échangeait deux ou trois mots avec le barman.

— J'en ai assez d'être seule.

Au moment de payer sa bière, le bref sourire de Victor ne nous a échappé ni à l'une, ni à l'autre.

— Il ne m'aimera jamais, a repris Jun. Jamais autant qu'il vous aime aujourd'hui. Mais au fil des siècles, il est bon d'avoir une personne avec qui partager sa vie, une personne qui se rappelle notre histoire. C'est parfois la seule chose qui permet de se raccrocher à la réalité, et c'est nettement plus important que le frisson momentané du désir.

J'ai jeté un coup d'œil à Denny qui a esquivé mon regard.

Jun a rassemblé ses billes, prête à attaquer la partie suivante.

Je ne me suis pas laissé gruger par son apparente tristesse. Jun arrivait peut-être à s'auto-convaincre de ces paroles, mais mon opinion personnelle, c'était qu'aucune femme au monde, fût-ce une quadra centenaire, ne pouvait être heureuse sachant qu'elle ne connaîtrait jamais l'amour. Je ne dis pas que nous attendons toutes le Prince Charmant, non pas du tout. Mais au fond d'elle, chaque femme a besoin de croire qu'elle est capable d'inspirer l'amour ; digne d'être aimée de quelqu'un – que ce soit un homme, une autre femme, un reptile ou un alien encore inédit à cette heure.

En ce qui me concerne, ai-je songé tandis que Victor se frayait un chemin parmi les tables, *la princesse ninja de quatre cents ans avec sa chevelure de rêve n'a qu'à faire la queue comme tout le monde. Non mais !*

— Eh bien, puisque vous avez un bon paquet de temps devant

vous, ai-je répliqué, laissez-moi Victor en premier, disons pour les soixante années à venir. Quand je serai morte et enterrée, ce sera votre tour.

– Je n'ai jamais été d'une nature très patiente, a riposté Jun avec mépris. Même quand j'étais en vie.

– Ah bon, parce que vous ne vous estimez pas vivante ?

– Vivante ! Par rapport à quoi ?

*

Emma est revenue des toilettes, sa bouteille de soda vide à la main.

– Dis donc, quelle descente ! » lui ai-je fait remarquer.

– En fait, j'ai tout versé dans le lavabo. J'avais juste besoin d'un récipient.

– Elle a dévissé le bouchon et m'a gratifiée de son Regard Super Sérieux® :

– Cathy, donne-moi la moitié du sérum de mortalité.

– Pourquoi ? ai-je avancé avec méfiance.

Ce petit flacon était ma seule arme, je n'avais guère envie de la lâcher.

– C'est plus prudent d'en avoir chacune un échantillon, a argumenté Emma. Si jamais tu perds le tien, on en aura un de rechange.

J'ai fait la moue. Emma a coulé un regard en direction des deux immortels qui gambadaient autour de leur billard :

– Écoute, on ne connaît pas les intentions de Jun. À première vue, elle serait plutôt dans notre camp. Mais qui nous dit qu'elle n'est pas de mèche avec son père ? Si ça se trouve, elle guette juste l'occasion de te piquer le sérum pour le lui apporter.

– Je n'y avais même pas pensé, ai-je soufflé, la bouche sèche.

– Viens.

Emma m'a entraînée dans les toilettes et tendu sa bouteille en plastique avec autorité.

106.

À contrecœur, j'ai sorti de mon sac le flacon de Pêche Mortelle. Emma s'en est emparée, a ôté le bouchon et versé un ruban de gouttelettes dorées dans la bouteille en plastique, tout cela avec la dextérité d'une fille qui a trois ans d'expériences de chimie derrière elle. Puis elle a refermé et glissé la bouteille dans son sac.

– C'est bon, tu te sens mieux ? lui ai-je demandé.

Elle a émis un grognement.

– Attendons de retrouver Lu pour lui vaporiser ce truc sous le nez. Là, je me sentirai mieux.

Escalope (Heure de l'Homme Supérieur)

Tout en regardant Victor jouer, Jun lui a dit :

– Reste la question suivante : que faire des humains à l'heure de la bataille ?

– On vient avec vous, a déclaré Denny avec véhémence.

Je me suis penchée sur lui :

– On n'est pas censés entendre, je te signale.

Veuve Éternelle

– Je m'en fous ! S'il faut se bagarrer avec ce type, je veux en être.

Jun l'a toisé par-dessus la table.

– J'admire votre courage, certes, mais vous nous seriez d'une totale inutilité en cas de combat. Vous seriez même un handicap.

– Je vous rappelle que Cathy vous a botté les fesses, la dernière fois que vous vous êtes rencontrées, a cru bon de souligner Emma.

– Euh, oui… Enfin, j'ai peut-être un peu enjolivé l'histoire.

– Victor et moi, nous sommes des guerriers, a résumé Jun. Vous autres, vous n'êtes que des otages en stand-by.

*

– Hé, les mecs, a dit Pete, les sourcils froncés au-dessus de l'ordi.

*

– Espèce d'escalope arrogante et prétentieuse ! a rugi Emma.

– Escalope ? a fait Denny, légèrement largué.

– Ça rime avec…, lui ai-je expliqué. Emma a horreur des gros mots.

– Tu crois ça ?

– À la table d'à côté, Victor regardait Jun avec une drôle d'expression, une sorte de sourire en coin que je ne lui avais encore jamais vu, et qui le rajeunissait.

– Tu crois vraiment que seul un immortel est de taille à battre ton père ?

– Je ne voulais vexer personne, je constate les faits, c'est tout, a-t-elle froidement répliqué.

– Je me demande…

Victor a soufflé dans sa bouteille, l'air songeur.

– Prenons Cathy, par exemple. Elle a donné du fil à retordre à bon nombre d'immortels. Je crois que je m'en serais beaucoup moins bien sorti qu'elle.

Victor avait parlé d'un ton incroyablement doux. Amoureux, même.

Emma fixait Victor avec un regard d'aigle. Il fallait que je pense à lui demander ce qu'elle avait découvert sur lui, dès qu'on serait tranquilles.

– Cathy a peut-être quelque chose de spécial, a dit Jun en haussant les épaules. Personnellement je ne vois pas quoi, mais je peux me tromper. Quant aux autres mortels… (Du bout de sa queue de billard, elle a tapoté le plâtre de Denny.)… On sait déjà ce qu'ils valent.

biotope

*

– Hé, les amis ! s'est écrié Pete, cette fois avec impatience. J'ai réussi à m'infiltrer dans une des messageries vocales de Lucky Joy Cleaners. Tous leurs messages sont automatiquement convertis en format MP3.

antilope

J'ai senti se hérisser les poils de ma nuque.

– S'il te plaît, Pete, épargne-nous les détails techniques et va droit au but, OK ?

– J'ai écouté leurs conversations téléphoniques, a traduit Pete. Ils… ils t'estiment coincée et… ils s'apprêtent à porter l'estocade.

écope

cyclope canope

Fausse Identité (Heure des Tueurs de bas étage)

– De son bras valide, Denny a attrapé une queue de billard qu'il a maniée comme une arme familière. La main de Jun s'est refermée sur le couteau dissimulé dans sa manche. Victor s'est raidi, les yeux rivés sur sa bouteille de bière vide. Emma s'est précipitée vers Pete et penchée sur l'ordinateur portable.

– Oh, bon sang !

– C'est bizarre, a enchaîné Pete. Ils prétendent qu'ils ont encerclé Cathy alors que leurs hommes de terrain se trouvent en ce moment même à San Francisco.

périscope

J'ai tourné la tête :

– Tu en es sûr ?

– Ouais.

Il a tapé une adresse sur la page de recherche géographique, et un plan quadrillé de la ville est apparu sur l'écran.

– Apparemment, ils sont quelque part dans Mission District.

– C'est peut-être le manque de sommeil, ai-je glissé, mais j'ai quand même nettement l'impression d'être ici et pas là-bas. Faut-il en déduire que ces mecs sont complètement à l'ouest ?

– On a sans doute affaire à des tueurs de bas étage, a décrété Denny. Des gagne-petit de la profession, de vulgaires apprentis.

– D'après eux, tu serais descendue à l'hôtel des Célébrités, a poursuivi Pete en me regardant. Ils ont eu confirmation de ton identité par le marchand de tabac du coin, qui a demandé à voir tes papiers quand tu es venue acheter des cigarettes. C'est dingue ! Ça ne peut pas être toi.

– Oh ! mon Dieu. (Je me suis tournée face à Denny.) Ce n'est pas moi, mais c'est mon permis de conduire.

Denny a blêmi.

– Jewel ? Mais… tu m'as dit qu'elle était au Texas !

Tout à coup, j'ai eu la bouche sèche.

– Elle t'a baratiné, a déclaré Emma d'un ton aigre. Tu sais bien que Jewel ment comme elle respire.

J'aurais dû intervenir mais je ne l'ai pas fait. Denny a fermé les yeux.

– Ces mecs vont tuer ma sœur.

Conduire ou se laisser conduire

À part la discrète mais vilaine odeur de roussi qui flottait sur le parking du Billes et Queues, toujours à cause des incendies, il faisait un temps magnifique : clair, chaud et ensoleillé. Pas du tout un jour

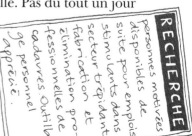

où il y a du meurtre dans l'air. Jun a rapidement regagné sa voiture, une Jaguar noire aussi luxueuse et étincelante que sa chevelure. Emma a couru jusqu'au quatre-quatre hybride de Pete en lançant :

– On part en premier, suivez-nous, j'ai déjà l'itinéraire sur mon mobile. Cathy, si vous vous perdez, appelle-moi !

Denny s'est dirigé à pas lourds vers sa vieille Mustang, le bras gauche plaqué contre son torse. Il devait souffrir le martyre mais affichait un visage sévère et résolu, comme s'il se refusait à enregistrer la douleur. Je lui ai emboîté le pas sous l'œil attentif de Victor. Sur le moment, j'ai cru qu'il allait se joindre à nous, mais Jun l'a interpellé, et il a opté pour la Jag. *Bon, d'accord, restez entre vous*, ai-je ruminé.

Tout en pestant à voix basse, Denny a ouvert la portière c conducteur.

– Je peux conduire, si tu veux, lui ai-je proposé.

– Nan.

– Moi, je n'ai pas un bras en bouillie et je suis du genre rapide au volant. Je te signale que j'ai été recalée deux fois de suite au permis pour excès de vitesse.

Denny ne s'est même pas donné la peine de répondre. Il a enfoncé la clé de contact et démarré aussitôt. J'ai fait le tour de la Mustang en courant et je me suis assise sur le siège du passager.

– Tu sais, inutile de dépasser Pete, on ne connaît pas le chemin.

Aucun commentaire.

Je me suis penchée pour l'aider à boucler sa ceinture.

– Non, m'a-t-il dit en amorçant brusquement la marche arrière.

Pete a quitté le parking à vive allure et s'est engagé sur la bretelle de l'autoroute, suivi de près par la Mustang.

– Je suis désolée, ai-je lâché faute de mieux.

– Je sais, m'a répondu Denny en jetant un coup d'œil dans le rétroviseur.

– Je comprends ce que tu éprouves, mais…

– Cathy ?

– Oui ?

À l'entrée de l'autoroute, les herbes calcinées du bas-côté témoignaient d'un récent incendie.

– Tu n'as ni frère ni sœur, hein ?

– En effet.

– Alors tais-toi, m'a dit Denny.

La Mission

Nous avons laissé le soleil derrière nous à San José. Le ciel de la Mission était aussi gris qu'un vieux journal, il faisait froid, et un vent capricieux dispersait des sacs plastique et des gobelets de café en polystyrène aux quatre coins des rues. La Mission est un quartier réputé pour son ambiance artiste et bohème, mais je l'ai toujours trouvé triste avec ses volées de marches interminables, son manque d'espaces verts, ses constructions grises et informes, ses trottoirs en béton et ses caniveaux regorgeant de sachets de chips éventrés, de canettes de bière vides et d'incontournables seringues usagées. Autant de détritus abandonnés là par des utopistes venus vivre l'Été de l'Amour à San Francisco et qui n'ont pas su repartir avant l'arrivée de l'Hiver du Désespoir.

– Je hais cette ville, a lâché Denny.

– Quand il fait chaud dans la vallée, l'air monte et les courants froids venus de l'océan s'engouffrent dans San Francisco, ai-je babillé alors que Denny s'en contrefichait complètement. Du coup, chaque fois qu'il fait beau et chaud à l'intérieur des terres, il fait froid et brumeux en ville.

– Tu crois qu'elle est morte ?

Là, je suis restée muette.

Pete s'est garé dans un parking public à un demi bloc de

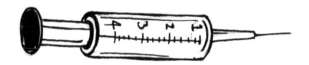

l'hôtel des Célébrités. Denny a fait de même, et Jun l'a suivi de peu. À peine extirpé de la Mustang, Denny s'est mis à courir vers l'hôtel. Victor l'a rattrapé. Ils m'ont fait penser à des soldats. Pas le modèle de parade, bombant le torse et jouant les fiers-à-bras ; non, de vrais soldats allant au combat, sachant qu'il y aura forcément des victimes.

Pendant qu'Emma s'occupait de payer le parking, Jun et moi sommes parties sur les traces des deux éclaireurs. Nous les avons rejoints devant l'entrée de l'hôtel.

– Aucun signe des flics, nous a informés Victor.

– Pas encore…

– Je vais monter par là avec Jun, a-t-il continué en désignant l'escalier de secours qui zigzaguait le long du pignon.

Le premier échelon était à plus de trois mètres du sol, mais il était clair que Victor n'aurait aucun mal à l'atteindre, pas plus que Jun avec son agilité de panthère. Il était encore plus évident que le malheureux Denny en serait incapable.

– Je me contenterai de l'entrée principale, a-t-il grogné.

Victor a approuvé de la tête.

– Pete, quel est le numéro de la chambre ?

– 402, a répondu Pete d'une voix tendue par l'anxiété.

– Est-ce qu'ils se parlent encore sur le canal que tu as piraté ?

Pete s'est tourné vers Denny et lui a fait signe que non.

Emma est arrivée vers nous en courant, les tickets de parking à la main.

– C'est quoi, le plan ?

Denny a poussé la porte de l'hôtel :

– Monter dans sa chambre et buter tout ce qui bouge.

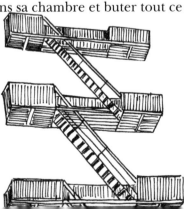

- Ici tous les clients sont des stars

L'hôtel des Célébrités (Ici, les clients sont tous des stars)

L'hôtel des Célébrités évoquait plutôt un asile de nuit pour nécessiteux qu'un hôtel de stars. De rares lampes diffusaient une lumière chiche et déprimante à travers des abat-jour qui n'avaient pas dû être épousseté depuis le crétacé supérieur. La moquette rouge, usée jusqu'à la corde, avait sûrement été choisie pour répondre aux critères suivants : «revêtement de sol peu coûteux sur lequel les taches de bière et de sang ne se voient pas». La décoration murale se résumait à trois ou quatre photos d'acteurs télé des années 1970 ou 1980, chacune encadrée et dédicacée au feutre argenté. Le clou de la collection, en l'occurrence un illustre inconnu chauve comme un œuf, brandissant une sucette et proclamant «Super *siopao*! Bravo!», occupait la place d'honneur à la réception.

Derrière le comptoir se tenait un Philippin d'âge mûr et prénommé «Vicente» d'après son badge. L'air studieux derrière ses lunettes, il était penché sur la grille de sudoku d'un quotidien quelconque. Il avait les traits très fins, des paupières tombantes et une peau ambrée qui se plissait en un éventail de minuscules rides au coin des yeux.

À notre arrivée, il a lancé un bref regard au portrait du vieil acteur à la sucette et justifié la dédicace en disant :

– Avant, je tenais un restaurant à Universal City. Toutes les stars venaient chez moi pour déguster mes fameux *siopao*, vous savez, ces petites brioches à la vapeur farcies de viande ou de…

– Ma sœur est descendue ici, a écourté Denny. Il faut absolument que je la voie.

– Et puis l'économie a dégringolé et mon affaire aussi, a poursuivi l'homme en soupirant. Les restaurants sont les premiers touchés, dans ces cas-là.

SUDOKU

Apparemment, l'hôtel des Célébrités n'en était pas encore à l'ère informatique. En lieu et place de cartes magnétiques, de grandes clés à l'ancienne pendaient à un tableau derrière le comptoir. Faute d'ordinateur, Vicente a ouvert un vieux registre où figuraient les références des clients, soigneusement notées au crayon noir.

– Vous connaissez le numéro de la chambre de votre sœur ? a-t-il voulu savoir.

– La 402, ai-je répondu à la place de Denny. Elle s'est inscrite sous le nom de Vickers. Cathy Vickers.

– Est-ce qu'elle est au courant de votre visite ?

– Bien sûr, ai-je menti. On s'est téléphoné, et elle nous a dit de passer.

– Mmm.

L'homme a épluché la liste et plissé les yeux en arrivant au nom voulu.

– «Ne pas déranger» nous a-t-il lu, le crayon pointé sur la colonne des Recommandations.

Puis il m'a observée en inclinant lentement la tête sur le côté, telle une tortue examinant une feuille de laitue pas très fraîche.

– Aux Célébrités, les clients sont tous des stars, a-t-il repris. Cette demoiselle a précisé qu'on devait la laisser tranquille. Pourquoi est-ce que je vous laisserais passer ?

– Eh bien, euh…

– Parce que c'est ma sœur et qu'elle a des ennuis, a tranché Denny. Si vous refusez de me donner la clé, je défonce la porte 402 à grands coups de latte, ça vous va ?

Vicente l'a regardé d'un air offusqué, puis a tendu la main vers le panneau de bois où étaient accrochées les clés.

– Ici, tous les clients sont des stars, a-t-il maugré une fois de plus.

Denny a saisi la clé à la volée et s'est rué vers l'ascenseur.

– Excusez-nous, a dit Emma en tapotant l'avant-bras de Vicente avec compassion.

114

L'homme-tortue a rentré la tête et s'est réfugié derrière son journal sans ajouter un mot.

Une femme disparaît (Heure de la Jumelle Diabolique)

Deux minutes plus tard, Emma, Pete, Denny et moi étions dans le couloir, face à la porte de la chambre 402. D'affreuses visions me sont venues à l'esprit : Jewel recroquevillée sous la douche, la nuque brisée, ou bien étendue sur le lit, toute bleue, étouffée entre deux oreillers ; ou encore allongée sur la moquette sale et baignant dans une mare de sang, comme Tsao.

– Jewel ! a crié Denny. Tout va bien ?

Il tremblait tellement qu'il n'arrivait pas à insérer la clé dans la serrure.

– Et merde !

– Attends…

Je lui ai pris la clé des mains afin d'ouvrir la porte à sa place.

La chambre, minuscule et sordide, était un véritable capharnaüm. Un emballage de hamburger et un restant de frites traînaient sur les draps défaits, à côté d'un journal ouvert à la page des programmes télé – journal sans doute tiré d'une poubelle, à en juger par son état. Le poste de télévision datait d'avant l'invention de la télécommande et diffusait un dessin animé, mais sans le son. À l'autre bout de la pièce, un rideau crasseux, malmené par le vent, s'agitait devant la fenêtre ouverte. Victor et Jun nous avaient battus d'une longueur en passant par l'escalier de secours. Victor, à quatre pattes, était en train de regarder sous le lit.

– Jewel ? a réitéré Denny.

– Ne te fatigue pas, lui a dit Victor. Elle a sûrement occupé cette chambre, mais elle n'y est plus.

– Elle est partie de son plein gré, ou bien quelqu'un l'a enlevée ?

– Difficile à dire. Regarde ça.

Le sac de Jewel, un faux Prada acheté grâce à l'argent de

Tsao, trônait sur la table de nuit, près d'une petite lampe de chevet branlante. Si la direction avait un jour fourni un réveil radio à sa clientèle, nul doute qu'il avait été volé depuis longtemps. La salle de bains était tellement étroite qu'une fois assis sur le siège des toilettes, on touchait le mur avec les genoux.

Emma a balayé la pièce des yeux :

– Apparemment, il n'y a pas de trace de lutte.

– Elle est peut-être sortie faire un tour ? a hasardé Pete.

– Pas sans son sac, ai-je objecté.

Denny m'a approuvée de la tête.

– Jewel fait super gaffe à ses affaires. Elle a toujours la trouille qu'on lui pique quelque chose. Je la charriais souvent là-dessus. Ça me fait penser à ce proverbe de la Bible qu'on nous répétait sans cesse au centre de détention pour ados : « *Le méchant prend la fuite sans qu'on le poursuive.* »

– Ouais, a grogné Pete. N'empêche que c'est pas de la parano de s'enfuir quand on a des tueurs aux trousses.

J'ai posé la main sur le sac de Jewel, comme si le simple fait de le toucher allait me renseigner sur ses états d'âme ou sa situation actuelle. Dès la minute où elle était entrée dans ma vie, cette fille ne m'avait apporté que des ennuis. Mais là, à force de voir Denny fureter désespérément dans la chambre à la recherche d'un indice, j'aurais tout donné pour que ma Diabolique Jumelle soit saine et sauve.

Le méchant prend la suite sans qu'on le poursuive

Puissent tes ennemis te craindre comme la foudre

– On ferait mieux d'appeler la police.

Cette suggestion émanait d'Emma, bien entendu.

– Bonne idée ! Quelques cadavres supplémentaires, c'est exactement ce qu'il nous faut, a ironisé Victor.

C'est la vie, Cathy, mais pas celle qu'on croit.

Les lèvres retroussées, Emma l'a foudroyé du regard :

– Toi, je ne t'ai jamais aimé.

– Victor a raison, a dit Jun en ressortant de la minuscule salle de bain. Si les agents de mon père détiennent la sœur de Denny, la police ne pourra strictement rien pour elle.

– Il y a *forcément* quelque chose à faire, a insisté Emma d'un ton rebelle.

J'ai fait le tour de la chambre avant de revenir près de la table de nuit.

– Tu peux encore espionner les conversations de ces sales types ? ai-je demandé à Pete.

– Pas ici, il n'y a pas la Wi-Fi.

– Je croyais que tu avais configuré ton ordi de façon à utiliser ton mobile comme modem ? a avancé Emma.

– C'était possible avec mon ancien téléphone, mais quand j'ai installé le logiciel de…

– Hé ho ! les ai-je interrompus. Arrêtez de nous gonfler avec votre jargon, OK ?

– On ne parle pas en klingon, que je sache, a vertement riposté Emma.

– Pourquoi, vous connaissez le klingon, tous les deux ? s'est enquis Victor.

– Hja, a répondu Pete en souriant. qhIj qet jaghmeyjaj ! Puissent tes ennemis te craindre comme la foudre !

– Méfie-toi, mon pote, même tes amis sont en train de battre en retraite, a enchaîné Victor.

– C'est fini, oui ? me suis-je impatientée. Il faut qu'on sache ce que les types de Lucky Joy mijotent.

Sur la table de nuit traînaient une vieille boîte de tacos provenant d'un fast-food, ainsi qu'une pochette d'allumettes. J'imaginais très bien Jewel enjambant la fenêtre pour aller s'en griller une sur l'escalier de secours. Machinalement, j'ai mis la pochette dans mon sac.

117.

Après avoir pianoté sur son portable, Emma a lu les informations affichées sur le petit écran :

– C'est bon, il y a un café Wi-Fi au coin de la rue. San Francisco est vraiment une ville géniale. Tu viens, Pete ?

– Tout de suite, chef !

Tandis que nos deux internautes partaient en quête de connexion, Victor et Jun ont inspecté l'escalier de secours pour voir si Jewel n'y avait pas laissé une preuve de son passage. De mon côté, j'ai pris le faux Prada et l'ai vidé de son contenu sur la commode, dans l'espoir de trouver un indice quelconque. J'ai senti le regard de Denny flotter au-dessus de mon épaule. Le sac de Jewel était bourré d'horaires et de plans. Métro. BART. Greyhound.

– Elle adorait ça, m'a glissé Denny. Elle rêvait de grands voyages. Quand je parlais de me trouver un job en Floride, dans le golfe du Mexique ou à Port Arthur, elle m'expliquait comment aller à Paris, à Prague ou à Budapest. C'était son grand truc, Budapest. Elle avait promis de m'y emmener, le jour où elle toucherait le gros lot.

Elle adorait, elle rêvait, elle avait promis… Denny parlait déjà de sa sœur au passé.

Sur l'écran de la télé, les personnages de dessin animé continuaient à se poursuivre en silence, projetant des ombres fugitives et multicolores sur le bric-à-brac de Jewel. Dehors, Victor et Jun étaient engagés dans une vive discussion à voix basse.

Denny a commencé d'énumérer les objets étalés sur la commode :

– Un ticket de cinéma, une brosse à cheveux, de la petite monnaie, des chewing-gums, des pinces à cheveux…

Et aussi du maquillage en pagaille, mélange de produits super cheap et hyper luxe, les derniers datant probablement de sa période avec Tsao. Qu'était-elle pour lui ? Sa maîtresse, son chien ? Quoi qu'il en soit, le joli toutou s'était révélé sacrément méchant. Tsao avait l'intention de la tuer, mais c'est lui qui avait fini étendu raide mort sur la moquette. Conclusion : Jewel était coriace.

Victor s'est faufilé par la fenêtre et a refait son apparition dans la chambre en disant :

– Denny, viens m'aider à inspecter le couloir et l'ascenseur. S'ils l'ont emmenée de force, ils ont dû laisser des traces.

Denny a hoché la tête et suivi Victor sans se faire prier, trop content de s'échapper de cette pièce sordide, jonchée de détritus et de souvenirs.

Ma Rivale (Heure de l'Herbe plus Verte)

À peine la porte refermée sur eux, Jun s'est glissée à son tour par la fenêtre. Elle m'a montré une pièce chinoise avec un trou au milieu :

– On a trouvé ça dans la ruelle.

Mon cœur a fait un bond.

– Alors ils sont venus ici. Ils sont passés par l'escalier de secours.

– Un clochard se souvient d'avoir vu une camionnette du restaurant Les Huit Ancêtres il y a environ une heure, m'a dit Jun.

– Les Huit Ancêtres ? C'est là que j'ai vu Lu pour la première fois !

Je me suis rappelé notre rencontre. Le silence qui s'était abattu sur la salle comme une chape de plomb, le temps qui avait suspendu son cours, et ce vieillard avec une barbe à trois pointes qui m'avait regardée avec des yeux plus profonds que la nuit la plus noire.

– Ce restaurant appartient à mon père, m'a appris Jun. À mon avis, il a fait enfermer Jewel dans la chambre froide. J'ai honte de le dire, mais il est assez coutumier de ce genre de chose.

C'est toujours mieux que d'être suspendue à un crochet de boucherie, ai-je failli rétorquer.

– OK. Allons chercher les garçons, et en route pour Les Huit Ancêtres, ai-je dit à la place.

– Non.

Jun a posé la main sur mon épaule et j'ai senti le temps ralentir, comme si j'étais sous une cloche en verre, à l'abri du monde extérieur et de sa course infernale.

– Si Denny et toi allez là-bas, c'est la mort assurée. Victor préfère que vous restiez ici. Nous irons tous les deux, lui et moi, a-t-elle déclaré en me lâchant l'épaule.

– En d'autres termes : vous vous tapez le sale boulot pendant qu'on se tourne les pouces en sirotant des milk-shakes, c'est ça ?

Jun a écarté le rideau et regardé la grisaille qui pesait sur la ville.

– Écoute, Cathy, il y a trois heures, tu étais prête à t'effacer pour sauver la vie de tes amis. Pourquoi voudrais-tu les mettre en danger maintenant ?

Subitement, j'ai eu une envie folle de casser quelque chose. Je me suis défoulée en abattant violemment mon poing sur la commode.

– Pas trop de mal ? m'a demandé Jun.

– Si. À la main. À l'amour-propre. Mais je m'en remettrai.

J'ai contemplé le fatras de maquillage éparpillé sur le meuble. Mascara, blush, rouge à lèvres, fards à paupières, crayon à sourcils : l'arsenal typique de toutes les filles qui cherchent à se bâtir une façade contre le temps, mais une façade aussi fragile qu'un château de sable menacé par la marée montante des années.

– Il faut que j'y aille, a dit Jun.

Arrivée près de la porte, elle s'est arrêtée pour ajouter :

– Si ça peut te consoler, Cathy, cela fait des siècles que je rêve de vieillir et de mourir comme n'importe quelle fille.

Une fois n'est pas coutume, elle s'est autorisée à sourire.

– Tu sais ce qu'on dit : l'herbe est toujours plus verte dans le champ d'à côté.

CRAYON YEUX

Le Coyote perd toujours (Heure du Désespoir)

Vingt minutes plus tard, Denny et moi étions toujours dans la petite chambre minable qu'avait occupée Jewel. Denny était assis au bout du lit, face au dessin animé qui passait à la télé. En l'occurrence *Bip-Bip et le Coyote*. Comme d'habitude, le volatile supersonique arrivait à déjouer tous les plans du méchant coyote, lequel finissait invariablement écrabouillé par un camion, aplati sous un énorme rocher, catapulté dans l'espace, dynamité par sa propre charge d'explosifs ou bien précipité du haut d'une falaise trois fois plus haute que le Grand Canyon. Indifférent aux images frénétiques qui défilaient sur l'écran, Denny regardait dans le vague, à des millions de kilomètres, me semblait-il, enfermé dans son désert personnel. Un paysage sans coyote ni Bip-Bip, mais peuplé de sachets de poudre et de bouteilles cassées, sa mère et son dernier copain en date fumant de l'herbe en gloussant, sandwiches à la moutarde à tous les repas, et lui toujours – toujours – à la recherche de Jewel.

Jewel qu'il fallait sortir des bars, sauver d'une bagarre ou tirer du lit d'un trentenaire peu recommandable, le genre de type à rouler lentement devant la sortie du collège local entre deux livraisons.

Assis là, au bout du lit, prostré, avec son visage meurtri, son bras en écharpe et son regard vide, Denny avait l'air d'une épave. Telle une canette jetée d'une voiture, qui roule et rebondit sur la chaussée avant de finir sa course dans le caniveau, il paraissait en bout de course. Stoppé pour de bon.

Personnellement, je n'avais pas dormi depuis plus de trente heures mais j'étais tout le contraire : fébrile, hyperactive, incapable de tenir en place ou de garder le silence.

– Je hais ce Bip-Bip ! ai-je fulminé tout en tournant dans la pièce comme un ours en cage. Tu n'as jamais eu envie que le coyote le chope, ne serait-ce qu'une seule fois ? Qu'au moment où ce crétin d'oiseau arrive à trois mille kilomètres heure en braillant «bip-bip» et en tirant la langue, **paf !** il tombe dans un piège à loup et qu'à l'image suivante on voit le coyote en train de se régaler d'un Bip-Bip à la broche, avec son bec autour du cou en guise de pendentif ?

Denny ne m'a pas répondu.

Sur l'écran de la télé, le coyote a dégringolé du haut de la falaise, suivi de près par une enclume, un rocher, un piano à queue et un paquet de dynamite.

– L'histoire de ma vie toute crachée, ai-je murmuré.

Les cheveux de Denny avaient poussé depuis la dernière fois qu'on s'était vus, et sa coupe en brosse commençait à prendre de la hauteur. Je n'avais pas besoin de passer la main sur cette crête blonde pour savoir qu'elle était douce comme de la fourrure. Grâce au dessin, j'ai appris à toucher avec les yeux, à sentir la fine texture d'une robe de soie ou l'aspérité des grains de sable sur une plage. Dopée par le manque de sommeil, j'avais l'impression d'entrer en contact physique avec toutes les choses que je regardais : les draps rugueux du lit abandonné de Jewel, la graisse figée des frites qu'elle avait délaissées. Le début de barbe qui bleuissait le menton de Denny, je savais déjà comment je le dessinerais – en mitraillant le papier avec la pointe du crayon.

– Écoute, ai-je lâché, j'aurais dû te le dire avant, mais Victor et Jun sont partis chercher ta sœur.

Silence.

J'ai recommencé à arpenter la chambre dont je connaissais maintenant les dimensions par cœur. Exactement sept pas de la porte à la fenêtre.

– Vu la façon dont Jun m'a présenté les choses, ça m'a paru la meilleure solution. Qu'on reste ici, je veux dire. Tu comprends, je n'ai pas envie de faire courir d'autres risques à Pete et à Emma

– sans parler de toi. Je suis un porte-poisse ambulant, Denny. Pire qu'une veuve noire ! Tu cherchais ta sœur et je t'ai à moitié aveuglé avec une bombe aérosol ; après ça, tu t'es fait tabasser par Victor ; ensuite, je t'ai emmené à un enterrement et Tsao t'a démoli le bras !

– Ouais, a dit Denny d'une voix plate. Je suis un dur à cuire. Est-ce qu'il y a une chance pour que Jewel soit encore en vie, d'après toi ?

– Je regrette de ne pas t'en avoir parlé. Ça t'aurait permis d'en discuter avec eux.

– Si ça se trouve, Jewel n'était pas dans sa chambre quand ces salauds se sont pointés. On ne voit aucune trace de lutte. Ma sœur ne se serait pas laissé embarquer sans se défendre, c'est une vraie tigresse.

J'ai préféré passer sous silence la pièce chinoise trouvée au bas de l'escalier de secours.

– Elle était peut-être sortie s'acheter un truc à bouffer ou un paquet de cigarettes, s'est obstiné Denny.

– Si on allait aux Huit Ancêtres ? lui ai-je proposé. On n'est pas loin du centre-ville, on peut s'y rendre à pied.

J'ai ouvert les tiroirs de la commode pour essayer de trouver un annuaire. À la télé, un camion fonçait sur la route à toute allure, et le Coyote réalisait soudain qu'il avait les pieds collés au bitume. Denny s'est allongé sur le lit en grognant.

– Elle laissait la télé allumée en permanence, histoire d'avoir de la compagnie. Elle avait horreur de la solitude.

J'ai fini par dénicher un annuaire et je me suis mise à feuilleter les Pages jaunes afin de retrouver l'adresse exacte du restaurant des Huit Ancêtres.

– Si on va là-bas, on pourra prêter main-forte à Victor et à Jun, ai-je insisté.

Denny a tourné la tête vers moi et m'a lancé d'un ton hargneux :

AÏE

123.

– Ben voyons ! Au cas où ça t'aurait échappé, j'ai pas de superpouvoirs et toi non plus.

– Très bien. Reste ici à broyer du noir, moi je…

Au moment où je me penchais pour prendre mon sac sur le lit, Denny m'a attrapée par le col et m'a brusquement attirée à lui. Nos visages se touchaient presque.

– Arrête de vouloir faire tout ce qui te passe par la tête, OK? m'a-t-il dit.

Avec une force décuplée par la colère, il m'a clouée au matelas. J'ai tenté de me dégager mais j'ai juste réussi à faire sauter un bouton de mon chemisier.

– Lâche-moi !

– Tu fonces tête baissée, même si c'est pour aller droit dans le mur, hein? Tu te crois imbattable, toujours capable de retomber sur tes pattes, mais t'es pas un chat !

On était nez à nez, mais ses yeux vides ne me voyaient pas. C'était effrayant.

J'ai cessé de me débattre et essayé de maîtriser ma voix.

– Denny? C'est moi, Cathy. Compris ?

– C'est toujours à moi de te sortir du pétrin. Mais un de ces jours, j'arriverai trop tard.

Il a resserré son étreinte. Je commençais à avoir du mal à respirer. Je voyais les muscles de son avant-bras se gonfler et trembler de rage.

– Je peux pas te laisser mourir. Pas après tout ça. Parce que si t'es plus là, j'ai plus aucune raison de vivre.

– Denny... Denny ! Arrête. Je ne suis pas Jewel !

J'ai réussi à capter son regard. Il m'a fixée, le poing toujours serré contre ma gorge, soufflant comme un bœuf mais recouvrant peu à peu sa lucidité.

– Je ne suis pas ta sœur, ai-je répété.

– Pourtant vous êtes bien pareilles, toutes les deux, a-t-il riposté avec aigreur. À quoi ça te sert d'aller dans ce restaurant de malheur ? Tu cherches à te faire descendre ou quoi ?

– Non. Je veux simplement *agir*.

– Tu crois qu'il n'y a qu'à la télé qu'on se prend des balles, voilà ton problème. De là où je viens, les gens ont des flingues et ils s'en servent pour de vrai. Tu as déjà vu une fille se faire tirer dans le dos ? Moi, oui.

– Vas-y, traite-moi de sale petite bourgeoise écervelée pendant que tu y es !

À présent, j'étais aussi enragée que lui. On était si près l'un de l'autre que je sentais la chaleur de sa peau.

– Y'a que la vérité qui blesse, imbécile, m'a-t-il lancé.

– Imbécile toi-même !

Denny a contemplé sa main et compris en un éclair qu'il avait failli m'étrangler. Il m'a relâchée instantanément.

– Tu as déchiré mon chemisier, lui ai-je reproché.

Je savais que le bouton du haut avait sauté mais je n'ai pas cherché à vérifier si on voyait mon soutien-gorge ou pas.

– Cathy, s'il te plaît, tais-toi.

À nouveau, il m'a attrapée par le col et attirée à lui. Puis il a posé ses lèvres sur les miennes et nous nous sommes embrassés. Avec violence, tristesse et désespoir.

Dans le Désert

Parfois, quand on s'embrasse, on a l'impression d'être en dehors du temps. Là, cela n'a pas été le cas.

Il n'y avait rien d'éternel dans ce baiser. Rien de fusionnel. On était comme deux animaux blottis l'un contre l'autre par pur instinct de survie. Deux animaux au milieu d'un désert sans fin peuplé d'ossements desséchés, avec pour seule source d'eau ce baiser, nos corps cherchant à se désaltérer l'un à l'autre grâce au simple contact des lèvres. Deux êtres égarés dans une chambre d'hôtel minable, au sein d'un monde inhumain où les parents ne s'occupent pas de leurs enfants et où la conclusion

« Ils vécurent heureux jusqu'à la fin de leurs jours » n'existe que dans les contes de fées. Je n'avais pas dormi depuis des siècles et j'avais l'impression que je ne retrouverais jamais plus le sommeil.

Réveil (Heure de la Position Embarrassante)

Impossible de savoir combien de temps j'avais dormi. Deux minutes ? Un an ? Davantage ? Est-ce que mes cheveux m'arrivaient aux hanches et que mes ongles avaient poussé au point de servir de brochettes ? Ce sont des voix dans le couloir qui m'ont réveillée. Mon cerveau embrumé a fini par mettre un nom sur ces voix : Emma et Pete. Une porte s'est ouverte dans un grincement, et les deux voix se sont tues instantanément.

J'étais totalement déphasée. Aucune idée de l'endroit où je me trouvais ni de ce qui se passait. Ma joue reposait sur un truc râpeux qui montait et descendait alternativement, en rythme avec une espèce de soufflerie située quelque part au-dessus de mon oreille. Le haut de mon crâne butait contre une sorte de bosse épineuse, et j'avais l'impression d'avoir en travers du dos une branche d'arbre dont les ramifications m'enserraient l'épaule…

J'ai ouvert les yeux. J'étais allongée sur la poitrine de Denny. Le truc râpeux sous ma joue, c'était son plâtre ; ce qui me piquait le crâne, c'était sa barbe de trois jours, et la branche en travers du dos, son bras droit. J'ai voulu m'asseoir, mais les doigts de Denny se sont enfoncés plus fermement dans mon épaule. J'étais comme une poupée Barbie dans les bras d'un grizzli.

– Cathy ! s'est exclamée Emma, l'air choqué.

Les dernières traces de sommeil se sont dissipées à vitesse grand V.

– Oups !

Cette fois, je me suis redressée comme un ressort en prenant appui sur la première chose qui m'est tombée sous la main, autrement dit : le bras cassé de Denny. Certes, ce dernier était protégé par le plâtre, mais comme il s'était démis l'épaule en prime, sa réaction a été fulgurante.

– AÏÏ-YAAA-OOOOUUH ! **Put**… !!!

– Emma ! Pete ! Qu'est-ce que vous faites là ? ai-je couiné.

– Étant donné les circonstances, je serais en droit de te retourner la question, a rétorqué Emma avec un regard de Mère supérieure digne du pire couvent punitif du monde.

– On n'a rien fait de mal ! ai-je protesté.

– C'est vrai, a renchéri Denny.

– Parole de scout !

– Promis-juré-craché !

– Euh… Cathy ? est intervenu Pete, rouge comme une tomate. Tu voudrais bien reboutonner ta chemise… On voit tes…

J'ai éclaté d'un rire insouciant.

– Oh, ça ? ai-je enchaîné avec légèreté. Non, ce n'est pas moi qui l'ai déboutonnée exprès, c'est…

– C'est moi qui la lui ai arrachée, a déclaré Denny en toute sincérité.

Dans le silence de glace qui a suivi, les sourcils d'Emma et de Pete se sont soulevés dans un parfait mouvement d'ensemble.

– Non, attendez, ce n'est pas ce que vous croyez ! me suis-je insurgée. Je vais tout vous expliquer !

– Je serais curieuse d'entendre ça, a lâché Emma, mais pour l'instant, j'ai des choses plus importantes à faire. Jun et Victor vont tomber dans un piège.

– Je me suis levée d'un bond.

– Quoi !?

– Il m'a fallu un certain temps pour réinfiltrer leur réseau, nous a informés Pete. D'abord, j'ai dû passer par la commutation de paquets auprès de l'IP, parce que…

– Abrège, lui a murmuré Emma.

– Oui, désolé, j'oubliais que les détails techniques n'intéressent personne. En résumé, quand j'ai réussi à me rebrancher sur eux, j'ai découvert que ces sales types préparaient une embuscade.

– Où ça ? Ici ?

– Ils ont fait allusion à une chambre froide. Ça vous dit quelque chose ?

– Oh mon Dieu ! ai-je soufflé.

– En tout cas, ça ne peut pas être ici, a persiflé Emma. D'après ce qu'on a pu constater, l'ambiance était assez torride avant notre arrivée.

Tout à coup, mon portable a sonné.

– C'est Victor, ai-je annoncé en voyant son nom apparaître sur l'écran.

Mais lorsque j'ai décroché, c'est la voix de Jun que j'ai entendue.

– Cathy ? Je suis garée devant l'hôtel, viens vite !

Elle avait l'air terrifiée.

– Il y a du sang partout. Victor…

À son intonation, j'ai compris qu'elle était non seulement angoissée mais stupéfaite.

– Cathy, je crois qu'il va mourir !

Ce que Victor a fait (Heure de l'ultime sacrifice)

J'ai refermé mon téléphone et me suis laissée tomber sur le lit. Mon cœur cognait douloureusement, comme une pièce de moteur sur le point de lâcher.

– Victor est blessé, ai-je annoncé aux autres.

– Blessé ? ont répété Pete et Denny, incrédules.

Emma ne semblait pas l'être. La bouche pincée, elle s'est écriée en tapant du pied :

– Je le savais !

– Tu savais quoi, Emma ? Je ne comprends rien, Jun dit qu'il est couvert de sang et qu'il…

Je me suis remise debout péniblement. Mes jambes me soutenaient à peine. L'épuisement, le choc et un flot d'émotions confuses m'empêchaient de réfléchir.

– J'ai déjà vu Victor recevoir une balle en plein cœur, et il s'en est remis en un clin d'œil, ai-je ajouté.

– On ferait mieux de descendre, a dit Emma.

– Des serviettes ! a ordonné Denny. Prenez des serviettes dans la salle de bains et mouillez-les. S'il y a du sang partout, il va falloir éponger pour évaluer les dégâts.

– Je vois que tu as de l'expérience, a commenté Emma.

– Un peu, oui.

Machinalement, j'ai attrapé mon sac. Pete était déjà en train de passer deux petites serviettes beigeasses sous le robinet. Il m'a dit quelque chose que je n'ai pas saisi tellement mes oreilles bourdonnaient de fatigue et d'hébétude. Ensuite, je suis sortie dans le couloir et je me suis mise à courir comme un robot au bord du bug.

Coupure.

Soudain, je me suis retrouvée dans l'ascenseur avec les autres. Ma vie ressemblait à un DVD rayé sautant de plage en plage, avec arrêts sur image et brusques redémarrages. J'avais la tête prête à exploser et le corps de plus en plus engourdi. *Reprise.*

129.

J'ai vaguement entendu Pete prononcer mon nom et répondu « non, non, ça va ». Victor était blessé. Victor allait peut-être mourir. Entre les mains de Pete, les serviettes éponge trempées gouttaient comme du sang transparent. *Coupure.*

Traversée du hall de l'hôtel des Célébrités. À la réception, le vieux Philippin était penché sur une grille de mots croisés, l'air toujours aussi studieux derrière ses lunettes à double foyer. Entre-temps, il y avait eu la sortie de l'ascenseur mais je n'en avais aucun souvenir. En revanche, j'ai eu un flash-back. Non pas visuel mais sensoriel. Rappel de mon corps allongé à côté de Denny, là haut, sur ce lit miteux, pendant que *coupure*

Victor était *coupure*

pendant que *coupure* Victor était *coupure*

Mes oreilles se sont mises à bourdonner de plus belle.

Coupure. Brève vision de la porte de l'hôtel s'ouvrant sur la rue. Ciel gris. Vent froid.

Coupure.

Reprise. Jun était au volant de sa voiture, moi tassée à l'arrière. Le brouillard assourdissant dans lequel j'évoluais s'est dissipé d'un seul coup et j'ai recouvré ma lucidité. Victor était affalé sur la banquette, les traits tordus par la douleur. En me voyant, il m'a adressé un sourire des plus étranges. J'ai passé la main dans ses cheveux poissés de sang. Du sang, il en avait aussi plein le visage. Encore liquide ou déjà sec selon les endroits. Un mince filet rouge courait de son crâne jusqu'à sa bouche, irriguant au passage son nez et sa joue. Il a passé la langue sur ses lèvres, et j'ai eu l'impression de sentir sur les miennes le goût ferrugineux du sang.

– Salut, beauté, m'a-t-il dit.

Son sourire dément s'est effacé, et il m'a caressé la joue avec maladresse.

– Eh! Faut pas pleurer.

Jun, à genoux sur le siège avant, contemplait Victor avec découragement.

– Je ne comprends rien, a-t-elle lâché. Ils nous attendaient de pied ferme, mais c'était prévisible. Normalement on aurait dû s'en tirer. Seulement, ils étaient armés et Victor a été d'une *lenteur*!

Après avoir ouvert la portière, Denny s'est penché sur Victor et lui a essoré les serviettes au-dessus la tête, inondant copieusement la banquette d'une eau écarlate.

– Désolé pour ta bagnole, a-t-il grogné à l'adresse de Jun, mais j'ai besoin d'y voir un peu plus clair là-dessous. Eh, Kung Fu, t'aurais pas aperçu ma sœur, par hasard?

Victor a esquissé un mouvement de tête mais la douleur l'a rappelé à l'ordre.

– Non, désolé, a-t-il murmuré.

– Pas de problème, mec.

Denny a délicatement tamponné le crâne de Victor à l'aide de la serviette d'hôtel qui a rapidement viré du beige au rouge.

– Hum… Il s'est pris une balle. Regarde, on voit le sillon, là.

– Est-ce qu'il va s'en sortir? a demandé Jun.

C'est moi qui aurais dû poser la question. J'ai lu dans les yeux de Victor qu'il aurait souhaité que ce soit moi. Seulement, j'étais incapable d'articuler un son.

– Bien sûr, a répondu Denny. La balle a juste éraflé le cuir chevelu, c'est pas grave.

Il a continué à nettoyer le visage de Victor d'une main experte, décollant les petites plaques de sang déjà coagulé avec la précision d'un flic relevant des empreintes digitales.

– L'ennui, avec les blessures à la tête, c'est qu'on pisse le sang.

Je me suis demandé combien de fois il avait joué les infirmiers.

– Il doit être un peu sonné, à mon avis. Eh, Kung Fu, combien

j'ai de doigts ? a-t-il ajouté en levant le pouce, l'index et le majeur.

Victor a fixé la main tendue devant lui avant de fermer les yeux avec lassitude.

– *Plein.*

– Hum… Écoute, mon pote, quelque chose me dit que tu dois avoir une sacrée migraine, hein ?

Victor a très légèrement hoché la tête. Son teint était couleur de cendre.

– T'as envie de gerber ?

De nouveau, Victor a opiné en grimaçant.

– Eh ben, vas-y, te gêne pas, la banquette de la dame n'est plus à ça près ! En général, on se sent mieux après avoir dégueulé.

– Merci… je tâcherai de m'en souvenir, a marmonné Victor.

Il m'a cherchée du regard. De toute évidence, il avait du mal à accommoder.

– Cathy ? Pourquoi pleures-tu ? Tout va bien, ma puce.

J'ai essuyé mes larmes et me suis barbouillée de sang par la même occasion. Tant pis. Tant mieux, même. Bien fait pour moi.

– Je ne comprends pas, a répété Jun, toujours sidérée par la pâleur de Victor et par le sang qui continuait à jaillir de sa plaie. Normalement, les immortels sont à l'abri de ça.

– Sans doute, a dit Emma. Mais Victor n'est pas immortel. Ou plutôt, il ne l'est plus depuis… (Elle a consulté sa montre.) Trois heures environ. Est-ce que je me trompe, Victor ?

– Coupable, votre honneur, a-t-il répondu avec un pauvre sourire.

– Il a pris le sérum ! ai-je soufflé avec effroi.

– Oui. Probablement pendant que tu te faisais tabasser dans les toilettes du Royaume des Crêpes, m'a expliqué mon amie. Tu avais laissé ton sac sur une chaise. Il a dû profiter d'un moment d'inattention de notre part. C'est seulement plus tard, dans la salle de billard, que j'ai commencé à avoir des doutes. Non seulement il buvait, mais il était ivre.

– Mais… Mais *pourquoi*? ai-je émis d'une voix brisée.

Victor m'a regardée. Embarrassé. Vulnérable.

– Oui, ça me revient! s'est exclamé Pete. On était au restaurant et il t'a dit: «Que faut-il que je fasse pour mériter ta confiance? Que je tombe raide mort?» Et alors…

Emma lui a décoché un regard qui lui a cloué le bec, mais c'est moi qui ai complété sa phrase:

– Et alors, je lui ai répondu «Ce serait déjà un bon début».

J'ai contemplé Victor, effondré sur la banquette arrière de la Jaguar de Jun, et une douleur fulgurante m'a vrillé le cœur.

– Ensuite il est allé se jeter dans la gueule du loup, sachant qu'il était redevenu humain à cent pour cent, a repris Emma.

– Pourquoi est-ce que tu ne m'as rien dit? s'est insurgée Jun. Si je l'avais su, jamais je ne t'aurais laissé venir avec moi!

Victor a haussé les épaules et aussitôt réprimé un cri de douleur. Il avait tout abandonné pour moi. *Tout.* Je l'imaginais, entrant dans le restaurant des Huit Ancêtres au mépris du risque, indifférent aux tortures qu'on pouvait lui infliger… bravant la mort pendant j'embrassais Denny à l'hôtel des Célébrités.

Coupure.

Tout le monde me regardait. Victor m'a caressé la joue d'une main tremblante, l'air inquiet.

– Tu ne m'as rien dit, ai-je murmuré. Pourquoi?

– Je ne voulais pas que tu te sentes… obligée. Que tu me choisisses par pitié. Ou par culpabilité.

Un nouvel élancement l'a fait tressaillir.

– Oh, punaise… ce que j'ai mal à la tête…

Ses mains pleines de sang m'avaient laissé une trace poisseuse sur la joue.

– Je… je voulais juste que tu… aies confiance en moi.
Coupure.

133.

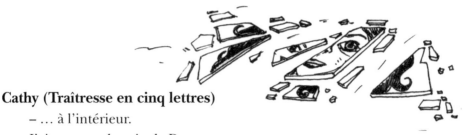

Cathy (Traîtresse en cinq lettres)

– … à l'intérieur.

J'ai reconnu la voix de Denny.

– … Et le garder au chaud, il est en état de choc.

Je n'étais plus dans la voiture de Jun mais dehors, sur le trottoir. Il faisait froid.

– C'bon, c'bon…, a bredouillé Victor, à moitié dans les vapes. Z'en faites pas pour moi. C'm'est d'jà arrivé un tas d'fois.

– Ouais, mais pas récemment, mon pote, a dit Denny en passant la tête par la portière pour évaluer l'état de son patient. On va te monter là-haut, faut que tu t'allonges.

– Du repos, de la glace, des compresses, a ajouté Emma.

– Z'auriez dû voir l'autre mec, a repris Victor. Non… c'est plutôt moi qu'aurais mieux fait d'le voir…

– Tu crois que le réceptionniste va nous laisser monter ? a demandé Emma d'un ton dubitatif. Déjà qu'il hésitait avant qu'on soit couverts de sang !

– Vicente ? Pas de problème, je m'en charge ! ai-je annoncé avec un entrain excessif. Un petit mensonge et c'est dans la poche !

Ma voix avait tendance à partir dans les suraigus, preuve que je frisais l'hystérie. J'ai jugé préférable de me taire.

– Je peux rien faire avec cette saleté de bras, a pesté Denny. Pete, essaie de sortir Kung Fu de la caisse. Jun, viens lui donner un coup de main. Cathy, va à l'hôtel et débrouille-toi pour neutraliser l'ami Vicente .

– D'accodacc, m'sieur !

J'avais l'impression de grésiller de l'intérieur, d'avoir à la place du cœur un vieux réveil prêt à tomber en mille morceaux. Je me suis dépêchée de trotter vers l'hôtel avant que quelqu'un ne s'en aperçoive.

À la réception, Vicente était encore plongé dans ses mots croisés mais il a levé la tête en m'entendant approcher.

134.

– Est-ce que je peux vous aider, mademoiselle ? m'a-t-il poliment demandé.

– Euh… oui ! En fait, c'est à propos de mots croisés.

– Vous les voulez ? m'a-t-il proposé avec un sourire forcé.

– Non ! À vrai dire, j'étais en train d'en faire moi aussi, là-haut, dans ma chambre, mais je bute sur une définition.

Du coin de l'œil, j'ai vu s'ouvrir la porte de l'hôtel. Mes amis s'étaient arrangés pour que Victor passe son bras autour de l'épaule de Jun, de sorte qu'ils aient l'air d'un couple d'amoureux. Le regard de Vicente a dévié dans leur direction. Malgré le soutien de Jun, Victor était tellement peu solide sur ses jambes qu'il avançait en louvoyant. Le front de Vicente s'est barré d'un pli soucieux. Tout en tâchant de lui boucher la vue, j'ai embrayé à toute vitesse :

– Il me faudrait un synonyme de « Femme légère ».

Vicente a haussé les sourcils :

– En sept lettres, ai-je précisé.

L'autre a mordillé son crayon, pensif.

– Pétasse ?

– Génial !

Victor en était à la moitié du hall.

– Euh… Non, un P en première lettre, ça ne colle pas. Vous n'auriez pas autre chose ?

– Roulure, traînée… allumeuse ?

– Oui, oui, super ! Ça devrait aller.

Emma a appuyé sur le bouton de l'ascenseur, les portes ont coulissé avec un *Ding !* qui n'a hélas pas couvert le grognement de Victor, plus vacillant que jamais.

– Attendez ! a crié Vicente sur un ton péremptoire.

Oh-ho…

– S'il vous plaît, essayez de comprendre, c'est hyper important, ai-je imploré.

Le Philippin s'est penché vers moi :

– Il y a *neuf* lettres dans «allumeuse». Ça vous dérange de tricher?

– Absolument pas!

Il m'a fait un clin d'œil en disant:

– J'ai un bouquin…

Sur ce, il a plongé sous le comptoir pendant que mes amis poussaient Victor dans l'ascenseur, puis a refait surface en brandissant *Le grand Dictionnaire du Professeur Laflemme*.

– Je m'en sers de temps en temps, histoire d'améliorer mon vocabulaire, s'est-il justifié avec un large sourire.

Il s'est mis à feuilleter les pages tandis que se refermaient les portes de l'ascenseur.

– Voyons voir… Femme légère en sept lettres… Ah! Nous y voici: «ribaude», «hétaïre», «bagasse».

– Formidable! Merci beaucoup.

Victor était tiré d'affaire, mes amis aussi – du moins pour le moment – et j'avais l'intention que ça dure. Après avoir adressé un dernier sourire à Vicente, j'ai traversé le hall et quitté l'hôtel. Il faisait toujours aussi froid dehors. J'ai commencé à marcher droit devant moi, sans but, la tête vide, telle une épave ballottée par les flots. Comme un de ces déchets balayés par le vent dans les rues de San Francisco.

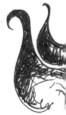

VIDE
vide

Un fantôme à la bouche sanglante
sanglote au milieu du centre commercial.
Sur le quai du métro, un ange tire sur sa
dernière cigarette.

Le diable entre dans une pharmacie pour
acheter de la vaseline et du paracétamol.

Parfois ce sont les choses qu'on ne voit pas
qu'on oublie jamais.

138.

(Refrain)
Une poupée cassée, une maison vide,
un vélo sans guidon,
j'ai perdu mon chemin, j'ai perdu la tête,
je me suis perdue de vue quand je t'ai perdu.

139.

(Refrain)
J'ai perdu la clef, plus d'endroit où aller,
aucun refuge, aucun foyer,
j'ai perdu mon chemin, j'ai perdu la tête,
j'ai perdu
je me suis perdue de vue quand je t'ai perdu.

Le fantôme attendait le moment
où tout s'écroulerait.
L'ange attendait le moment où
tu me laisserais tranquille.

Le diable chuchotait des mots
destinés à me briser le cœur.
Moi, j'en ai en marre d'attendre,
alors je me suis cassé.

Urgences

Quand j'ai repris mes esprits, j'étais en train de fixer une ambulance. Les éclats bleus-rouges-blancs du gyrophare m'ont fait penser à des bougies d'anniversaire, et la sirène à des pleurs d'enfants inconsolables. Bruits ô combien familiers. L'un de mes plus anciens souvenirs remonte à mes trois ou quatre ans : en attendant que maman finisse son service, j'errais devant l'hôpital et j'observais le ballet des ambulances qui arrivaient aux urgences, telles des abeilles regagnant leur ruche.

Sans réfléchir, j'ai dirigé mes pas sur les traces de l'ambulance. Comme elle, je me suis engagée dans une longue allée et je me suis retrouvée devant les immenses bâtiments en béton du centre hospitalier de San Francisco.

**Au service des 1,5 million d'habitants de Bay Area
Le seul hôpital public de San Francisco offrant un centre
de traumatologie de très haut niveau**

Un autre panneau, plus discret, annonçait la présence d'un service d'urgences psychiatriques, également de top qualité. Quelle chance pour moi !

J'avais les yeux pleins de larmes à cause du vilain vent qui s'acharnait à souffler. Je me suis rendu compte que j'étais frigorifiée. J'ai décidé d'aller à l'intérieur pour me réchauffer, mais au lieu d'entrer par la porte principale, j'ai contourné le bâtiment pour passer par les urgences générales, comme quand j'étais petite fille et que j'attendais ma maman à la sortie de son boulot. Le centre hospitalier de San Francisco avait l'odeur caractéristique de tous les hôpitaux : celle des gens malades, du vieux lino et du désinfectant. La salle d'attente, éclairée par des tubes fluorescents

140.

qui ronronnaient doucement, était équipée de ces chaises aussi inesthétiques que robustes qu'on trouve dans toute collectivité. Et comme d'habitude, des rangées de patients, dont le visage plus ou moins décomposé reflétait l'ennui ou l'angoisse, s'efforçaient de prendre leur mal en patience. Une Sud-Américaine agitée de tremblements fébriles côtoyait un ouvrier dont la main était enveloppée dans un T-shirt blanc maculé de sang. Un vieux Chinois à la barbe filandreuse était assis dans un coin, à moitié dissimulé par une plante verte. Tout près de la réception se tenait un cycliste apparemment victime d'une mauvaise chute. La jambe droite de son cuissard était en lambeaux et pleine de sang séché, comme si on l'avait frottée sur une grosse râpe à fromage. Vu sa raideur, il devait avoir la cheville cassée ou une rupture des ligaments croisés.

L'infirmière qui était à l'accueil a momentanément détourné les yeux de son ordinateur pour me demander ce que je voulais.

Juste m'asseoir un moment.

– J'attends un ami, lui ai-je répondu.

Elle a haussé les épaules, et je suis partie me chercher une place. J'ai repéré une chaise libre de l'autre côté de la plante verte, pas loin du vieux Chinois. En m'approchant, j'ai constaté que ce dernier était en train de faire un pliage en papier. C'était M. Origami, l'un des Huit Immortels. Nos regards se sont croisés.

– Qu'est-ce que vous faites ici ? me suis-je étonnée. Est-ce que vous me cherchiez ?

Il a continué à façonner son morceau papier sans rien dire.

Guillermo (Heure du Bon Samaritain)

Une Latino d'environ vingt-cinq ans s'est présentée au bureau d'accueil avec son petit garçon.

– Vous venez pour lui ou pour vous ? l'a questionnée l'infirmière en levant le nez.

141.

TRAUMATOLOGIE

– Perdón, no hablo inglés. Dessolée.

La jeune femme, d'assez forte corpulence, portait un jean bon marché et de grands anneaux d'argent aux oreilles. Son fils, dans les six ou sept ans, était maigrichon, avec de grands cernes bleuâtres sous les yeux.

– Que es mal? a demandé l'infirmière dans un espagnol encore pire que le mien. Vous ou lui?

– Guillermo, a répondu l'autre en caressant le dos du gamin.

Puis elle lui a posé la main sur le front en disant :

– Aquí.

– Il a mal à la tête, c'est ça? a traduit l'infirmière.

– Sí, sí !

– Bon.

L'infirmière a fait glisser une écritoire à pince sur le comptoir :

– Remplissez ces fiches et revenez me voir ensuite.

La femme a lorgné les fiches sans y toucher.

– Tenez, voilà un stylo, lui a dit l'infirmière, joignant le geste à la parole.

La jeune mère de famille a pris le tout et s'est retournée. M. Origami lui a jeté un coup d'œil, puis s'est replongé dans son pliage. Le papier multicolore qu'il cornait, tordait, plissait entre ses doigts agiles était un billet de la banque d'Enfer, cette fausse monnaie destinée aux offrandes. La Latino m'a adressé un bref regard, je lui ai souri, et elle est venue s'asseoir à côté de moi avec son gamin. Au mur, la pendule indiquait 15 h 30.

Ma voisine a parcouru la fiche et inscrit le nom de son fils à l'emplacement indiqué : Guillermo Rodriguez. La case réservée à la date stipulait mm/jj/aa. Elle l'a remplie, mais à l'européenne, en inversant l'ordre du jour et du mois. Je me suis demandé de quelle origine elle était (Mexicaine? Espagnole? D'un quelconque pays d'Amérique du Sud?) et comment elle avait atterri à San Francisco. Et le père du petit, où était-il? De quoi souffrait cet enfant?

Il était tellement passif pour son âge. Trop. Je me suis demandé s'il souffrait d'une simple migraine ou d'une pathologie plus grave. Est-ce qu'il avait peur ? Sa mère, elle, était inquiète, cela se voyait.

– Por favor, lui ai-je dit. Ayudar ?

Elle m'a regardée, un brin déroutée. De toute évidence, il n'y avait pas qu'en classe que mon espagnol craignait. J'ai tapoté la fiche de l'index.

– Puedo ayudar ?

– Ah ! Sí, por favor.

Je l'ai aidée à remplir le dossier. Ma mère était une obsédée de la santé ; elle m'a fait subir tous les examens médicaux possibles et imaginables dans ma jeunesse, y compris des tests auditifs (comme je ne l'écoutais jamais, sans doute me croyait-elle atteinte de surdité). J'ai été vaccinée contre le tétanos, la grippe, le cancer du col de l'utérus et contre des maladies qu'on n'attrape généralement que dans les marais cambodgiens. Quant au dépistage du ver solitaire, je préfère ne pas en parler. En tout cas, les fiches médicales, ça me connaît ; surtout quand elles sont rédigées dans ma propre langue. La jeune Latino n'arrêtait pas de se confondre en excuses et en remerciements, et moi je n'arrêtais pas de lui affirmer qu'il n'y avait pas de quoi, tout cela avec les maigres connaissances en espagnol acquises pendant mes années lycée.

– Guillermo, cabeza, m'a-t-elle expliqué. Aquí, dire… *come se dice regresar* ? a-t-elle demandé à son fils.

– Revenir, a lâché le gamin, la tête appuyée contre le bras de sa mère. Revenir para el gato.

– Revenir pour le chat ?

J'ai fini par percuter :

– Ah, pour un CAT scan !

La mère a hoché la tête énergiquement. J'ai posé l'écritoire sur mes genoux :

– Bon, reprenons depuis le début. *De primero.* Guillermo mal à la tête. OK. Vous êtes déjà venue consulter. (Regard dérouté de mon interlocutrice.). *Aquí*, ai-je traduit en désignant la salle d'attente. Mais avant. *Antes* (geste à l'appui).

– Sí. Oui.

La mère a sorti de son sac une petite carte rose sur laquelle était noté un rendez-vous :

15 h 00 – Service de radiologie.

Maintenant je comprenais. Le gamin avait dû être malade, ou bien il s'était cogné la tête en tombant de vélo ou de la cage à poules de son école, et sa mère l'avait amené aux urgences, sans doute parce qu'elle n'avait pas d'assurance maladie et que l'hôpital public était son seul recours.

Dans mon dos, de légers bruissements de papier indiquaient que M. Origami était encore en plein travail de pliage.

La mère de Guillermo m'a regardée sans rien dire, les yeux brûlants d'une attente fiévreuse. Je me suis levée en disant à voix haute :

– Venez, je vais vous conduire en radiologie.

Ce qui signifiait en clair : *faites-moi confiance.*

Elle a très légèrement opiné de la tête et s'est levée à son tour.

– Guillermo, vámonos, a-t-elle ajouté avec autorité.

Alors qu'on se dirigeait vers le service de radiologie, un minuscule papillon de papier est venu se poser sur la chemise du petit garçon.

144.

L'enfant ne s'attendait pas à ce qu'on lui fasse une piqûre. Avant de passer un scanner, on vous injecte du baryum afin d'optimiser la lecture des images. La grosseur de l'aiguille est impressionnante mais ce n'est pas douloureux. On transpire juste à grosses gouttes. Vingt minutes après l'injection, un interne qui paraissait à peine dix-neuf ans a enfourné Guillermo dans le scanographe, comme un poisson au micro-ondes. Vu l'attitude des infirmières, l'interne devait penser qu'elles doutaient de ses compétences ou qu'elles le méprisaient en raison de son âge ; en réalité, elles auraient simplement souhaité qu'il se montre plus gentil avec ce pauvre gamin.

Une fois en marche, un scanner émet des bruits inquiétants, semblables à des coups de fouet ou à une fusillade. La mère du petit se tenait près de moi et fixait l'interne avec effroi, répétant en espagnol « Oh, mon Dieu, mon Dieu ! Il est si jeune ! ».

– Ne vous inquiétez pas, lui ai-je dit. *No preocupar*. Il est médecin, *es un medico*. Il est jeune mais c'est un savant, un *genio*. Sans doute le meilleur de sa promotion.

– Vous êtes sûre ?

– Oui. Je vous le jure.

*

À mon retour, M. Origami était encore dans la salle d'attente. Son visage ridé comme une vieille pomme s'est fendu d'un sourire lorsque je me suis assise à côté de lui.

– Vous et moi, on aime s'occuper des affaires des autres, m'a-t-il glissé d'une voix rauque. Ça nous fait du bien.

Et il avait raison : je me sentais mieux. J'avais oublié que j'étais Cathy, la star du *Cathy Show*. Je n'étais plus qu'une personne anonyme qui venait d'aider Guillermo et sa maman. Pour une fois, mon intervention n'avait pas entraîné de catastrophe. J'étais soulagée d'avoir pu m'échapper de moi-même, l'espace d'un

instant. D'avoir été une fille bien, ne serait-ce qu'une demi-heure dans ma vie.

La Chute

Je me suis rappelé le jour où je m'étais retrouvée aux urgences après m'être foulé la cheville en sautant du toit du garage. C'est fou comme la douleur simplifie les choses. On oublie ses petites préoccupations habituelles – coiffure, télé, si les gens vous aiment ou pas, si on a envie d'être aimée ou non. Quand on souffre, le monde se limite à la surface de votre peau, on n'est plus qu'un animal.

À présent, assise là, dans la salle d'attente des urgences à côté de M. Origami, j'étais à peu près dans le même état d'esprit. Ma vie ressemblait à une maison ravagée par un incendie : j'étais sur le pavé, tout s'était envolé en fumée, et il ne restait plus que moi. Je n'étais plus la fifille adorée de son papa. Je pouvais dire adieu à mon avenir d'artiste. Grâce à l'Ancêtre Lu, il y avait de fortes chances pour que je n'aie plus d'avenir du tout. Je n'étais pas non plus l'enfant du destin capable de se mêler aux immortels sans y laisser des plumes. Finie aussi mon histoire d'amour avec Victor : j'avais tiré un trait dessus. Et si Emma acceptait de rester mon amie, c'était encore plus que ce que je méritais.

À m'entendre, on pourrait croire que j'étais déprimée, mais j'avais dépassé le stade de la dépression pour atteindre une étrange et lointaine contrée. Contrairement à ce qu'on pourrait penser, je ne me sentais pas *vide* après avoir abandonné l'enveloppe calcinée de mon ancienne vie, mais plutôt libérée de ma coquille comme à la suite d'une mue. Et de surcroît parfaitement lucide.

Je venais de comprendre que je m'étais toujours *servie* des gens. Je m'étais donnée en représentation, je les avais tour à tour séduits, amusés ou soudoyés pour gagner leur affection. Au lieu d'être moi-même, je leur avais offert le *Cathy Show* dans l'espoir de me faire pardonner ma désinvolture, ma paresse et mes coups de colère, pour peu que le spectacle soit suffisamment vif et drôle.

Mais le public avait déserté la salle ; on avait éteint les projecteurs. Le spectacle était terminé.

Il ne restait plus que Cathy.

Autoportrait

Voici le catalogue de mes certitudes :

– Je suis une fonceuse. Je fonce dans le tas. Dans le mur. Tête baissée. J'ai le chic pour récolter des bleus et des bosses.

– Je prétends que je me fiche de mon apparence mais c'est tout le contraire. J'aime le jus d'orange frais au petit-déjeuner et l'odeur de l'ail rissolé à l'heure du dîner.

– Ma mère a toujours en elle un fond de tristesse que rien n'arrive à chasser. Ça m'énerve et ça me fait culpabiliser. Je voudrais pouvoir y remédier mais je sais que c'est impossible et ça me rend dingue. Cela étant dit, je pourrais faire la vaisselle un peu plus souvent, ça ne me tuerait pas.

– J'ai horreur d'attendre et je déteste avoir peur. J'ai laissé tomber pas mal de gens, mais quand j'arrête de penser à ma petite personne, je m'aperçois finalement que je les aime encore. Sauvagement.

– J'ai la cote avec les chats.

147.

– Je suis capable de porter des vêtements orange, ce qui n'est pas le cas de tout le monde. Même en pleine panique, je garde les idées claires. Il paraît que, quand j'étais petite, j'étais gentille avec les enfants qui étaient la risée des autres. Je ne m'en souviens pas personnellement, mais les profs me plaçaient toujours à côté des nouveaux élèves ou des étrangers qui débarquaient en cours d'année. Maintenant que j'y repense, c'est probablement comme ça que j'ai connu Emma.

Le goût du ROUGE

– Je m'appelle Cathy Vickers et quand j'étais gamine, j'ai voulu manger un pastel rouge parce que j'adorais cette couleur. Quand je ferme les yeux, j'en sens encore le goût dans ma bouche.

Apprendre à Dessiner (Heure du Cormoran)

Tout à coup, M. Origami s'est emparé de mon sac.

– Eh, rendez-le-moi !

Malgré mes efforts, le vieil immortel a refusé de lâcher prise. Tout en souriant, il a sorti mon couteau suisse et mon carnet de croquis, puis il s'est mis à farfouiller parmi mon maquillage et mon matériel de dessin en émettant de petits grognements. Finalement, tel un prestidigitateur tirant un lapin de son chapeau, il a brandi la pochette d'allumettes que j'avais trouvée sur la table de nuit de Jewel et en a soulevé le rabat.

À l'intérieur était imprimée une pub pour un cours de dessin, le genre d'arnaque qui te promet que **Toi aussi, tu peux devenir un grand artiste !**

Jewel avait écrit par-dessus le mot CORMORAN en majuscules, souligné trois fois.

Cette annotation m'a laissée perplexe.

Cormoran ?

M. Origami a commencé à détacher les allumettes en carton une à une. De ses doigts agiles et secs comme des brindilles, il les a tordues, entrelacées et nouées de manière à former une minuscule poupée ayant les bouts soufrés pour tête, mains et pieds.

CORMORAN

Ensuite, M. Origami a enflammé les pieds de la figurine, qui a paru s'animer. Depuis mon départ de l'hôtel des Célébrités, alors que je m'éloignais de ma vie comme une femme abandonnant sa maison en ruine, le temps s'était pour ainsi dire figé. Dès que la petite poupée s'est embrasée, j'ai eu l'impression qu'il redémarrait. Cette pochette d'allumettes recelait un indice important. Grave.

CORMORAN. Pourquoi Jewel avait-elle écrit ça ? Elle n'était pas du genre à prendre des notes pendant un documentaire animalier.

– Tu as de bons yeux, m'a dit M. Origami. Sers-t'en !

À mesure que les flammes grignotaient les jambes de la petite poupée, mon cerveau se réveillait. Et si le message laissé sur cette pochette s'adressait *spécialement à moi?*

J'ai essayé d'imaginer ce qui s'était passé dans cette pauvre chambre d'hôtel.

La télé est allumée mais Jewel ne la regarde pas. Elle tourne en rond, jette de fréquents regards par la fenêtre parce qu'elle se tient sur ses gardes, comme tous ceux qui se sentent traqués. Pour Lu, Jewel ne vaut guère plus qu'un paquet de linge sale. Elle sait qu'il veut se débarrasser d'elle. Elle a les nerfs à fleur de peau. Elle sent l'ennemi approcher comme quand il y a de l'électricité dans l'air et qu'on sent venir l'orage.

Après avoir consumé les jambes de la poupée en allumettes, le feu s'est attaqué à sa jupe.

Par la fenêtre, Jewel voit la camionnette des Huit Ancêtres s'arrêter en bas de l'hôtel. Comme elle ne s'est pas gênée pour lire mon journal, elle sait que c'est dans ce restaurant que j'ai vu Lu pour la première fois. Son radar interne déclenche l'alerte maximale. Si les hommes de Lu la trouvent dans sa chambre, elle est morte. Impossible de fuir par l'escalier de secours, la camionnette s'est justement garée dans la ruelle pour bloquer cette issue. Il ne lui reste plus qu'à s'échapper dans le couloir et à jouer à cache-cache dans l'escalier, en passant d'un étage à l'autre. Elle sait qu'ils pousseront la porte dans quelques secondes mais elle prend le temps de griffonner un mot au revers de la pochette d'allumettes. Un message à mon intention.

CORMORAN.

150.

– C'est peut-être un rendez-vous ? ai-je supputé. Un endroit où je serais susceptible de la retrouver ?

La petite poupée était maintenant calcinée jusqu'à la taille. Son bras droit s'est mis à fumer, puis le bout s'est enflammé en crépitant. M. Origami ne me quittait pas des yeux.

Tout à coup, la lumière s'est faite :

– Le cormoran ! Mais oui, bien sûr ! Le jour où j'ai rencontré Victor, j'étais en train de dessiner un cormoran sur la digue de North Beach. Jewel a glané cette info dans mon journal intime. Je parie qu'elle m'attend là-bas, puisque c'est là que tout a commencé !

Le regard de M. Origami s'est mis à pétiller.

– Bravo, Cathy !

D'un souffle sec, il a éteint le feu avant que la tête de la figurine ne s'embrase à son tour.

Parents (Heure de Grandir)

Il fallait que j'aille à North Beach. Si mon intuition était bonne, c'est là que Jewel m'attendait. Je m'apprêtais à ranger mes affaires quand mon portable a sonné. C'était mon père.

– Cathy ! Dieu soit loué, tu vas bien.

– Qu'est-ce que tu veux ?

– Où es-tu ?

– Au centre hospitalier de San Francisco.

– Au centre hospitalier de San Francisco…

J'ai entendu un murmure de voix à l'arrière-plan.

– Est-ce que Victor est avec toi ? a voulu savoir mon père.

– Et toi, avec qui tu es ? ai-je rétorqué du tac au tac.

À cet instant, M. Origami a tiré de mon sac le flacon de parfum à la pêche.

– Eh ! Ne touchez pas à ça ! ai-je sifflé. Si vous respirez ce truc, vous êtes un homme mort !

– Avec qui es-tu, Cathy ? Victor ?

J'ai failli me jeter sur le flacon mais je me suis retenue, de peur de le briser. Ce sérum était ma seule monnaie d'échange avec les immortels. Emma avait beau en avoir une dose de rechange, je n'avais pas envie que l'autre moitié serve à arroser la plante verte. J'ai foudroyé M. Origami du regard. Il m'a tiré la langue – petit serpent rose au milieu de sa barbe blanche.

– Pourquoi est-ce que tu t'intéresses à mon ex, tout à coup ? ai-je demandé à mon père. Tu n'as jamais été président du Fan Club de Victor Chan, que je sache.

– Non, j'aimerais juste avoir une conv… Tu as bien dit « ex » ?

– Depuis trois heures environ.

J'ai tendu la main d'une façon impérative, et M. Origami m'a rendu le flacon à contrecœur.

Mon père a poussé un soupir de soulagement :

– Ça me facilite les choses. Écoute, mon chou, certaines personnes sont déjà en route pour parler à Victor. Je te demande simplement de le retenir dix minutes, ma chérie.

Un frisson glacial m'a parcouru l'échine.

– C'est un coup monté, hein ?

– Cathy…

– Tu travailles pour l'Ancêtre Lu !

– Victor est immortel, Cathy. Pas toi. Et ta mère non plus.

Silence au bout du fil.

– Oh ! mon Dieu… Papa !

– Il n'y a pas de quoi s'inquiéter, Cathy. Pas encore. Mais tu sais très bien comment les choses vont se passer, chérie. Lu connaît votre adresse. Il peut envoyer ses hommes à tout moment.

J'ai eu une vision de ma mère, encore en chaussons, en train de préparer le café dans la cuisine. On frappe à la porte. Forcément, elle va répondre. À l'instant où elle ouvre la porte…

– Non ! ai-je hurlé. Non ! Pourquoi s'en prendre à elle ? Elle n'a rien à voir dans cette histoire !

– Lu veut Victor, Victor te veut, c'est aussi simple que ça, a résumé mon père.

– Alors débrouille-toi pour arranger les choses ! Je parie que ce vieux psychopathe est à côté de toi, là, non ?

– Tais-toi, m'a dit mon père avec une froide autorité. La situation est grave, Cathy. Lu est immortel. Il est riche, puissant et dangereux. Dans les films de Walt Disney, les opprimés finissent toujours par triompher. Dans la vraie vie, c'est différent. Décide-toi à grandir, Cathy. C'est la vie de ta mère qui est en jeu.

– Où est-ce que tu es, papa ? Où est l'Ancêtre Lu ?

– Il est parti avec les autres. Retiens Victor encore cinq minutes, et tout sera réglé.

J'ai fourré le flacon de parfum dans mon sac.

– J'ai déjà tué Victor une fois, aujourd'hui…

– Quoi ?

– … deux, ça ferait beaucoup. Je ne balancerai personne, papa.

– Cathy, ta mère…

– Ma mère a besoin d'être protégée. Moi je ne suis pas de taille, mais toi, oui.

Je me suis levée, mon sac en bandoulière.

– Papa, si tu ne prends pas les choses en main, maman va mourir. File à l'hôpital et assure-toi qu'elle va bien.

Je me suis penchée sur M. Origami et lui ai plaqué un rapide baiser sur la joue avant de me reculer.

152.

– Mais enfin, Cathy, que veux-tu que je lui dise ? m'a demandé mon père de ce ton désemparé que je lui connaissais bien, et qui paraissait sincère.

– Présente-lui des excuses, ce sera déjà un bon début. Moi, je le ferai dès que possible.

M. Origami s'est frotté la joue, pensif, puis m'a adressé de la tête un petit salut que je lui ai rendu.

– Il faut que je raccroche, papa. Mais si l'Ancêtre Lu est près de toi, dis-lui que tout immortel qu'il est, je l'emmerde !

Je m'appelle Cathy Vickers. J'ai horreur d'attendre et je déteste avoir peur. Et en cas de doute, je fonce.

Duel avec un Dragon (Cigarette Menthol, côté cour)

Je suis partie en courant, direction North Beach. Au bout de deux blocs, mes poumons et mon cerveau ont décrété l'état d'urgence. D'un commun accord, ils se sont dit que, comme il y avait environ huit kilomètres avant d'arriver à destination, j'avais tout intérêt à prendre le bus. J'ai donc foncé vers Embarcadero et attrapé le F qui dessert les différents pontons. Il y avait toujours un brouillard à couper au couteau. Comme chaque été, des hordes de touristes attirés par le Célèbre Soleil Californien déambulaient en se demandant où diable étaient passées les plages de rêve qu'on leur avait tant vantées. Arrivée à mon arrêt, j'ai dévalé Beach Street pour gagner la digue où j'avais rencontré Victor, quelques mois plus tôt. Tout en courant, j'essayais de repérer la silhouette de Jewel. J'avais les jambes en plomb et un point de côté atroce, comme si un chasseur de baleines m'avait enfoncé son harpon dans le flanc. Mes poumons, apparemment réduits à deux pauvres poches de la taille d'un dé à coudre, n'auraient pas suffi à oxygéner un bébé lémurien.

Avant même d'apercevoir Jewel, j'ai discerné la fumée de sa cigarette qui montait d'un escalier menant à la plage. Elle était assise sur les marches, face à la mer. Avec son blouson de cuir, sa jupe en jean et ses bottes à franges, elle m'a fait penser à ces filles qui jouaient les dures et qui passaient leur temps à glander sur les marches de l'école. Ses cheveux étaient toujours de la même couleur que les miens. Quand elle a ôté la cigarette de sa bouche, la braise a décrit un petit arc de cercle orange au milieu de la grisaille ambiante. De dos, elle paraissait nettement plus petite que dans mon souvenir. Plus vulnérable.

Je me suis arrêtée en haut des marches, la main sur la rampe, courbée en deux, à moitié asphyxiée.

– Eh ! ai-je lancé, parce que c'était le seul mot que j'étais capable de prononcer tout en essayant de reprendre mon souffle.

Jewel s'est retournée :

– Je commençais à croire que tu viendrais pas.

Un débardeur blanc complétait sa tenue d'ado rebelle. Quand on a des tueurs aux trousses, je suppose que ce genre de tenue vous donne du courage.

– Tu m'as piqué mon parfum, a-t-elle ajouté.

– Ce n'est… pas du… parfum, ai-je haleté.

Jewel s'est contentée de tirer sur sa cigarette sans autre commentaire.

– C'est un… sérum qui… a fait… basculer… Tsao… dans… le camp… des… humbles… mortels, ai-je ânonné.

Jewel a haussé les épaules avec vivacité, l'air de dire « Kessa peut t'faire ? ».

– En attendant, faut que tu me le rendes, a-t-elle enchaîné. J'en ai besoin pour sulfater Lu.

J'ai secoué la tête énergiquement, façon de dire « Non ! » sans dépenser d'oxygène, puis ajouté :

– C'est *moi* qui… vais… m'occuper de… lui. Dis-moi… où il est.

– Toi ? T'as même pas la force de parler, ma pauvre fille !

Jewel a pris une longue bouffée et soufflé la fumée par le nez, comme un dragon tendance racaille.

– Il te faudrait une bonne cure de remise en forme, Cathy.

J'ai eu envie de l'étrangler ! Au lieu de ça, je me suis penchée en avant, les mains sur les genoux, assez séduite par l'idée de lui vomir dessus. C'est ainsi que je me suis rendu compte qu'elle portait *ma* jupe en jean, sans doute volée lors de son incursion chez moi. Gonflée, la fille ! D'un geste désinvolte qui a semé de la cendre de cigarette aux quatre vents, elle a désigné ma chemise en disant d'un ton critique :

– T'es pleine de taches, c'est dégueulasse.

– Merci, y'a pas à dire : tu es vraiment sympa.

– Ouais, tout le monde me trouve sympa. Question ambiance, je suis aussi bonne qu'une pom-pom girl !

Je l'ai taxée d'un regard ironique à travers ma frange trempée de sueur :

– Ah oui ? Parce que tu as déjà été pom-pom girl dans ta vie ?

– Ouais, sauf qu'un spectateur a reçu mon bâton sur la gueule, un jour. Mais dis-moi : où est le reste de ta bande ?

Je me suis redressée, offrant mon visage à la fraîcheur bienfaisante de la brise océane.

– Je préfère les laisser en dehors du coup.

– Il est craquant, ce Victor, a lâché Jewel avec son accent traînant. Si tu savais tous les petits mots doux qu'il m'a écrits ! D'ailleurs, faut que je te prévienne : quand on s'échangeait des SMS, je lui ai promis des petites gâteries – le genre de trucs que les jeunes filles sages osent pas faire, si tu vois ce que je veux dire.

Je me suis sentie rougir mais j'étais déjà tellement cramoisie que c'est passé inaperçu.

– Ça ne risque pas d'arriver : Victor et moi, on n'est plus ensemble, ai-je riposté.

Et rien que pour la faire bisquer, j'ai ajouté :

– On m'a surprise en train d'embrasser ton frère.

Jewel a accusé le coup.

– Touche pas à Denny, OK ? a-t-elle craché avec hargne.

– Eh ho, J, du calme ! Tu n'as quand même pas l'intention
le garder pour toi, ce serait vraiment glauque !

Sans crier gare, Jewel m'a attrapée par le col et attirée à elle.
Elle tremblait de rage.

– Tu laisses mon frère tranquille, sinon je te brûle la gueule
au point que même ta mère te reconnaîtra pas !

Je l'ai repoussée violemment, et on est restées face à face, style
Réglement de comptes à OK Corral.

– Je n'ai pas dragué Denny. On était juste à bout, tous les deux.
Et il flippait parce qu'il te croyait morte.

– Je suis une dure à cuire, tu sais, m'a répondu Jewel en
plissant les yeux, toujours la cigarette à la main.

– C'est ce que tu crois, mais Denny en est beaucoup moins sûr.

Je me suis rappelé son visage ravagé à la pensée que sa sœur
avait été assassinée, à notre retour de San José.

– Tu veux que je te dise ce que ton frère voit à travers moi ?
Toi – mais en version récupérable. Quelqu'un qui accepte son aide
et qui a un minimum de considération pour lui.

Au regard qu'elle m'a décoché, j'ai compris que j'avais fait
mouche.

– Tu ne sais pas ce qu'on a enduré, lui et moi, m'a-t-elle
répondu d'une voix sourde.

– Justement, ça excuse peut-être mon comportement. Mais le
tien ?

Mon point de côté s'étant enfin calmé, je recommençais
à respirer à peu près normalement.

– Écoute, j'adorerais rester là à bavarder toute la journée, mais
j'ai du pain sur la planche. Je ne te donnerai pas le sérum, alors

autant me dire où je peux trouver ce salaud d'Ancêtre Lu. Ensuite, tchao.

Une ado en rollers est passée sur la digue, suivie de deux femmes avec des poussettes d'enfant et d'un jeune agent de change qui parlait à toute allure sur son portable. À quelques mètres de nous, un chien vieillissant attendait patiemment son vieux maître.

– J'ai un flingue, tu sais, m'a informée Jewel.

– Si tu me descends en plein jour, cette pauvre bête va en avoir une attaque.

Les yeux de Jewel se sont réduits à deux minces fentes. Elle a remonté son sac sur son épaule et aspiré une autre bouffée.

– OK, Cathy. Lu a rancard quelque part. Je veux bien te dire où, mais à deux conditions.

– Pas question.

– Première condition : tu laisses mon frère tranquille.

J'ai voulu protester mais elle ne m'en a pas laissé le temps.

– Tu aimes bien Denny, OK. T'as raison, c'est un chouette type. Mais tu es amoureuse de Victor, et mon frangin n'est pas un prix de consolation pour une garce en mal d'amour.

Un cormoran noir est venu se poser sur un rocher, exactement comme lors de ma première rencontre avec Victor. Il a tendu son long cou, puis il a incliné la tête et m'a fixée d'un œil jaune.

– D'accord, ai-je cédé.

– Deuxième condition… (Jewel a encore tiré sur sa clope, histoire de faire durer le suspense.) Je viens avec toi.

– Tu sais que je n'apprécie guère ta compagnie.

– C'est sans doute parce que je fais tout ce que t'oses pas faire, m'a-t-elle dit en jetant son mégot dans le sable.

– Non, disons plutôt que je te trouve franchement horripilante.

Je suis allée ramasser le mégot pour le mettre dans une poubelle.

– OK, ça marche, ai-je ajouté.

Attaque du château et explosion du Prince Charmant (Heure de l'Histoire du Soir pour Vilaines Petites Filles, Chapitre 14…)

D'après Jewel, l'Ancêtre Lu devait donner une réception en l'honneur d'une gamine, dans une galerie d'art de Golden Gate Park. Bien entendu, la gamine en question ne pouvait être que la fille mortelle de Lu, plus connue sous le nom de Petite Sœur. Cette enfant, c'était la prunelle de ses yeux. Dans un sens, c'est elle qui était à l'origine de la guerre des immortels. L'Ancêtre Lu prétendait vouloir offrir l'éternité au monde entier mais, en réalité, il ne supportait pas que sa fille puisse grandir, vieillir et mourir. Comme tous les pères.

158.

Quant au lieu de la fête, il ne pouvait s'agir que du De Young Museum. C'était un bel endroit. Mon père m'y emmenait souvent – d'autant que l'entrée était gratuite pour les enfants.

Jewel et moi avons sauté dans le bus N-Judah jusqu'à Irving. Ensuite nous avons marché jusqu'au parc. Mon manque de sommeil recommençait à se faire sérieusement sentir.

– On dirait que tu vas t'écrouler sur place, m'a lancé Jewel. Tu veux un café ?

– Pas le temps, ai-je grogné.

– Et ces cheveux, quelle horreur ! T'as vraiment aucune dignité, ma pauvre fille.

Elle m'a tendu sa cigarette :

– Tiens, fume, ça va te donner la pêche.

– Non merci. Je ne vois vraiment pas l'intérêt de dépenser autant de fric pour se goudronner les poumons. Autant téter un pot d'échappement, au moins c'est gratos.

– Très drôle !

Jewel a remis la cigarette entre ses lèvres.

– Allez, Cathy, un peu de nerf ! On arrive au moment le plus palpitant de l'histoire : on attaque le château fort et on explose le prince charmant !

– Ce n'est pas vraiment le scénario habituel, je te signale.

– Peut-être, mais au cas où tu l'aurais pas remarqué, la vie c'est pas *vraiment* un conte de fées.

Le Cirque de Petite Sœur
(Heure de l'Amour Parental malavisé)

Devant l'entrée du De Young Museum, de grands panneaux informaient le public que l'établissement était fermé pour cause de réception privée. Avec leurs stricts complets noirs et leurs écouteurs, les agents de la sécurité – hommes ou femmes – se repéraient de loin. Je me suis demandé s'il s'agissait de l'escorte

159.

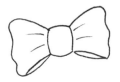

personnelle de Lu ou d'une bande de Ninjas de location dénichée à prix de gros chez Lucky Joy Cleaners. En les voyant, Jewel a glissé la main dans son sac.

– Faites vos jeux, rien ne va plus, a-t-elle grincé en refermant les doigts sur son revolver.

La voyant prête à s'engager dans la longue allée qui menait droit à la porte d'entrée, je l'ai saisie par le coude :

– C'est toi qui ne vas pas bien ! Tu veux nous faire tuer ou quoi ?

– Pas spécialement. (Haussement d'épaules.) Mais quand faut y aller faut y aller, non ?

– OK. Mais j'ai ma petite idée là-dessus.

Je l'ai entraînée de force vers une allée parallèle au musée.

– Écoute, Jewel, d'habitude je ne suis pas un modèle de sagesse et de prudence. Mais là, on s'aventure sur un terrain hyper dangereux, et jouer à la guéguerre avec les hommes de Lu, ce n'est peut-être pas le meilleur plan.

La tête rentrée dans les épaules, Jewel a enfoncé ses poings dans les poches de son blouson de cuir pour se préserver de la brise glaciale.

– Tant que Lu respirera, ma vie ne tiendra qu'à un fil et la tienne aussi, Cathy. Autant en finir tout de suite. D'une manière ou d'une autre.

– Ouais, ben, je préfère celle dont on sort gagnantes. Qu'est-ce qu'il fiche là, ce bus, d'après toi ? ai-je ajouté en lui montrant un car scolaire garé dans la « Zone interdite à tout véhicule », juste devant le musée.

Jewel a plissé les yeux afin de déchiffrer l'inscription :

– « École élémentaire des Sœurs du Sacré-Cœur ». Waouh, rien que ça ! Elle a quel âge, déjà, la fille de Lu ?

– Dix, onze ans.

– L'apprentissage de la solitude, a commenté Jewel en contemplant le bus.

– Ouais. Tu as raison. Petite Sœur doit en avoir marre d'être bouclée chez elle. Elle a envie d'avoir des amis. Du coup, son père est prêt à lui en offrir un paquet…

– … en l'inscrivant dans cette école chic et chère, par exemple.

– Et pour démarrer en beauté, il donne une grande fiesta avant la rentrée des classes, histoire que sa fille adorée ait la super cote auprès de ses petits camarades.

Pour une fois, on a échangé un regard de connivence.

– Tu parles d'un cadeau ! a lancé Jewel.

– Oui. Pauvre gamine. Dès le premier jour, elle va être la cible de tout le monde.

– Peut-être qu'elle est trop naïve pour se douter de ce qui l'attend.

Jewel a jeté son mégot par terre.

– Cette allée n'est pas une poubelle, lui ai-je fait remarquer.

Quant à Petite Sœur, je ne la croyais pas ingénue à ce point-là. Comme toutes les filles, elle devait avoir un radar à embrouilles qui l'alerterait du danger dès que la Reine des Pestes de CM2 descendrait du car avec la ferme intention de démolir la nouvelle élève qui pensait acheter la sympathie des autres grâce à l'argent de son papa.

Après avoir longé l'allée jusqu'au bout, nous avons obliqué vers la gauche de façon à arriver au musée par-derrière, côté jardin des sculptures. Nous nous sommes alors heurtées à un grillage derrière lequel une double rangée d'arbres et de bambous faisait écran. De l'autre côté nous parvenaient toutes sortes de bruits témoignant d'une vive animation : bavardages et cris d'enfants (ce qui n'avait rien de surprenant), entrechoquements de verres et de couverts, mais aussi coin-coin de vieux klaxons, brusques *wouf* !

161.

évoquant le souffle incendiaire d'un cracheur de feu et, en fond sonore, musique aigrelette de carrousel.

Jewel m'a regardée :

– Ma parole, il a engagé un cirque !

Nous avons crocheté le grillage avec nos doigts et commencé à l'escalader avec mille précautions pour éviter de le faire vibrer, enfonçant la pointe de nos pieds dans les mailles, très, très doucement, jusqu'à ce qu'on puisse épier ce qui se passait dans le jardin. Des grappes de fillettes en uniforme déambulaient au milieu d'une bonne douzaine de clowns de toutes les tailles et de toutes les formes. Deux d'entre eux effectuaient un numéro sur un jeu de bascule, tandis que trois autres se livraient à des pitreries sur une scène improvisée pour la circonstance. Un peu plus loin, on apercevait plusieurs longues tables sur lesquelles des serveurs à face de clown disposaient quantité d'assiettes en carton et de couverts en plastique. Derrière le buffet, un autre énergumène au teint plâtreux et à l'effrayante bouche rouge s'affairait à monter une pyramide de parts de gâteau. Sans compter d'autres clowns encore plus flippants, car armés jusqu'aux dents, qui étaient postés près des issues ou qui patrouillaient, mine de rien, parmi les invités.

L'Ancêtre Lu était assis à la table du fond. À quelques mètres de lui, une petite Asiatique maigrichonne se rongeait les ongles pour tromper sa solitude. À la voir si triste et si mal à l'aise, on devinait que, si une météorite s'était subitement abattue sur elle pour l'écraser façon tache de sauce tomate sur une nappe en papier, ç'aurait été pour elle une véritable délivrance.

J'ai croisé le regard de Jewel et, d'un accord tacite, nous avons quitté notre perchoir afin d'aller discuter un peu plus loin.

– Alors, chef, quel est ton plan ? m'a demandé Jewel.

– Euh…

À vrai dire, les plans, ce n'est pas mon fort. Ma tactique habituelle, c'est plutôt de me jeter la tête la première dans une tarte à la crème en espérant qu'il en ressortira peut-être quelque chose de bon. Emma a le chic pour élaborer des plans. Pete aussi, il est intelligent, il a l'esprit de synthèse. Denny, lui, s'est sorti d'un millier de galères. Quant à Victor… il est bon en tout. Soldat, amoureux, savant, poète, voleur : n'importe quelle casquette lui va.

J'ai été prise d'une envie terrible de téléphoner à mes amis tellement j'avais besoin de leur soutien logistique. Emma et Pete dans la catégorie Geek Fu, avec Jun revisitant Matrix afin de pulvériser les voyous de Lucky Joy. Jusqu'à présent, tous les schémas que j'avais mis au point n'avaient abouti qu'à casser le bras de Denny, briser le cœur de Victor et désigner tous les membres de ma bande comme personnes à abattre. Pour une fois, j'allais devoir réfléchir toute seule, comme une grande.

– Il craint, ton plan, s'est impatientée Jewel en fouillant dans son sac. Moi, je propose qu'on saute par-dessus la clôture et qu'on se précipite sur Lu : toi tu l'asperges de jus de pêche mortel, et moi je lui explose la tête.

– Non ! C'est nul. Vu le dispositif de sécurité, on n'aura même pas le temps de s'approcher de Lu à moins de dix mètres. Ce qu'il nous faudrait, c'est… Ooh !

Jewel m'a lorgnée avec méfiance :

– Est-ce que tu viens d'avoir une illumination ou une hallucination à la…

– Un déguisement ! ai-je claironné. Voilà ce qu'il nous faut. Et pour une fois, je sais parfaitement comment on va s'y prendre.

Maquillage

Dix minutes plus tard, on réquisitionnait les toilettes du parking couvert qui faisait face au De Young Museum. Armée d'un tube de rouge à lèvres rouge vif, j'ai commencé à dessiner une énorme bouche à Jewel.

– Tu veux nous faire passer pour des *clowns*? m'a-t-elle demandé, incrédule.

– Tout juste. Arrête de bouger sinon tu vas ressembler au Joker.

J'ai reculé d'un pas pour admirer mon œuvre :

– Pas mal… Tu as l'air encore plus clown que d'habitude.

– Va te faire voir.

– Étape suivante : du fond de teint blanc, ai-je enchaîné en fouillant dans mon sac.

– Tu es sûre que c'est indispensable ? a râlé Jewel. La bouche, ça suffit, non ?

Je l'ai fait pivoter face au miroir, de sorte qu'on puisse étudier ensemble son visage.

– Oh mon Dieu ! a-t-elle gémi.

– Si je te laisse comme ça, tu es mûre pour faire le trottoir. Tiens-toi tranquille, que je puisse continuer.

– Tu te trimballes toujours avec du maquillage de clown dans ton sac ?

– Ha ha ! Non, avec des pastels à l'huile !

Triomphante, j'ai brandi mon pastel blanc. Mon compte-minutes interne n'arrêtait pas de me chuchoter que le temps pressait. Sans être expert en psychologie infantile, l'Ancêtre Lu n'allait pas tarder à se rendre compte que sa petite fête était un fiasco total et qu'il fallait y mettre un terme avant que sa fille adorée se jette sous les roues d'une mini voiture rose bonbon avec douze clowns à l'intérieur.

J'ai d'abord essayé d'appliquer le pastel blanc directement

sur la peau de Jewel, mais j'ai vite compris que ce n'était pas assez couvrant, d'autant qu'il en fallait assez pour moi aussi. *Réfléchis, Cathy. Vite!*

— Si seulement j'avais de la crème hydratante, ai-je marmonné en fourrageant dans mon sac comme un cochon en quête de truffes.

— J'en ai, moi, m'a informée Jewel.

Elle m'a sorti un tube portant la marque d'un grand couturier français.

— Étant donné que Tsao me traitait comme une sous-merde, je me suis fait offrir certains trucs à titre de compensation, m'a-t-elle expliqué.

Vu le prix affiché sur l'étiquette, cette crème devait être à base de lait de licorne et de fleurs de jasmin cueillies à la main par des fées, les soirs de pleine lune.

J'ai frotté mon pastel blanc sur la bordure du lavabo de façon à former un rond d'une certaine épaisseur, après quoi j'ai ajouté une bonne dose de crème hydratante et mélangé le tout pour obtenir une pâte blanchâtre. J'ai trempé ma main dedans et l'ai appliquée sur la joue de Jewel. On aurait juré qu'elle venait de recevoir une giclée de plâtre.

— Génial!

— Attends un peu… Quand tu dis «pastels à l'huile», j'espère que ça ne va pas me bousiller la peau?

— Hein? Oh, non, ai-je menti. De toute façon, ça s'enlève très bien avec du dissolvant.

— Du dissolvant!

— Ou de la térébenthine, si tu préfères.

— Cathy!

Je me suis dépêchée de la tartiner de blanc de la pointe du menton jusqu'à la racine des cheveux.

— Maintenant, il s'agit de fignoler l'expression, ai-je estimé, la tête penchée sur le côté.

Parmi ma gamme de pastels, j'en ai choisi un vert, un noir, et j'ai prestement dessiné plusieurs lignes autour des yeux de ma victime.

– Eh voilà ! Adieu Jewel, bonjour Bozo !

Jewel a contemplé le résultat dans la glace.

– La vache ! Je suis flippante !

– Les clowns sont *toujours* flippants.

– Non, franchement, on se croirait dans *Orange mécanique*. Les mômes vont se mettre à pleurer en me voyant !

– Hum… C'est sans doute ton côté *obscur* qui ressort un peu trop. Attends… je vais juste te… gommer les sourcils et…. t'en dessiner des GÉANTS à la place !

Je l'ai fixée en tordant la bouche, puis je me suis mise à rigoler comme une baleine.

– Cathy ? a émis Jewel timidement.

– Oui ?

– Ça fait combien de temps que tu n'as pas dormi ?

– Environ deux jours. Pourquoi ?

– Simple curiosité.

Tandis que Jewel s'observait dans le miroir avec un œil critique, j'ai lancé :

– Il manque quelque chose.

– Non, non, c'est bon ! s'est-elle empressée de dire.

– Tais-toi, laisse faire l'artiste.

Je l'ai inspectée de près, au point de la faire loucher.

– HA HA ! J'ai trouvé, ai-je exulté.

– Non, pitié !

– Tu ne sais même pas de quoi il s'agit.

– Je sens que ça va être affreux.

– Gagné, ai-je concédé. Ce qui cloche, c'est ton nez.

– Cathy, arrête !

– Il te faut absolument un gros nez rouge, Jewel.

– J'ai déjà un gros flingue argenté, a-t-elle riposté. Et j'ai pas peur de m'en servir.

Tout à coup, il m'est venu une idée lumineuse.

– Attends-moi ici, ai-je dit à Jewel, je vais faire un tour dans le parking.

Elle a clairement paniqué derrière son grand sourire rouge.

– Cathy, qu'est-ce que tu mijotes ?

– En attendant mon retour, enlève tes collants ! lui ai-je crié par-dessus mon épaule.

Je suis revenue tout essoufflée six minutes plus tard, avec deux boules de protection d'antenne à la main.

– Ces trucs-là se font de plus en plus rares, ai-je commenté.

Mon compte-minutes interne continuait à battre la mesure sans pitié. Tic, tac, tic, tac…

Pendant mon absence, Jewel avait suivi la consigne : elle était maintenant jambes nues dans ses santiags noires grand luxe. Elle a dardé un regard perplexe sur les deux boules d'antenne en disant :

– Tu es complètement givrée.

– Quel scoop !

Après avoir sorti mon couteau suisse de mon sac, je lui ai tendu une boule :

– Tiens, passe du rouge à lèvres dessus, d'accord ?

– Et comment est-ce que tu comptes la faire tenir au bout de mon nez ?

– Avec de la Super Glu, j'en ai toujours un tube sur moi.

Jewel, effarée :

– De la Super Glu ?!

– Mais non, idiote, je plaisante !

clown chic

Je l'ai gratifiée d'un sourire qui se voulait rassurant mais qui s'est vite transformé en rictus psychotique.

– Sauf si je n'arrive pas à trouver mieux, bien sûr…

– J'ai des chewing-gums dans mon sac, a avancé Jewel avec un manque d'enthousiasme flagrant.

– Impeccable !

Trois minutes plus tard, Jewel était devenue l'heureuse propriétaire d'un gros nez rouge. À part le désespoir qui perçait dans sa voix, l'effet comique était très réussi.

– Cette odeur de chlorophylle me prend à la gorge !

– Arrête de râler et passe-moi ton rouge à lèvres, s'il te plaît, lui ai-je répondu après m'être copieusement enduit le visage de blanc.

– Et les collants, c'est pour quoi ?

– Les cheveux. Ce n'est pas l'idéal, je te l'accorde, mais comme on n'a pas de perruque bouclée rose fluo sous la main, on est obligées d'improviser. Relève tes cheveux, coupe une jambe de tes collants et enfile-la sur ta tête.

– Je vais ressembler à Bozo-le-Braqueur-de-banque, a-t-elle grogné en fronçant ses sourcils démesurés.

– C'est pas tout, il te faut aussi un chapeau.

– Désolée, j'ai pas ça en magasin.

– Bien sûr que si, ai-je rétorqué en désignant son sac boule.

Jewel a secoué la tête au ralenti et m'a regardée avec un sourire consterné.

– Tu sais quoi, Cathy ? Tu me fais penser à une sorte de savant fou, sans le côté savant.

Elle a pris son sac et s'est dirigée vers un cabinet :

– Excuse-moi deux secondes, le temps de passer dans la cabine d'essayage.

– Rien que pour te mettre un sac sur la tête ? Je ne te savais pas si pudique !

– Il faut bien que je planque ça, m'a-t-elle expliqué en exhibant son revolver. Je vais essayer de me l'attacher en haut de la jambe avec ce qui reste de mon collant.

– Heureusement que tu as des cuisses de mouche ! lui ai-je lancé à travers la porte.

Ma remarque, pourtant pas très drôle, a déclenché l'hilarité de Jewel, et je n'ai pu m'empêcher de sourire tout en dessinant de grosses larmes sur mes joues à l'aide d'un pastel bleu.

Sitôt ressortie des toilettes, Jewel s'est allumé une autre cigarette.

– Fumer tue, lui ai-je précisé d'une voix neutre, au cas où elle n'aurait pas été au courant.

– À seize ans, je rêvais déjà de sortir avec le ministre de la Santé. Il a l'air d'un type qui assume ses responsabilités. Tu trouves ça pervers, toi ?

– Non, dangereux. En tout cas, c'est ce qui est écrit sur les paquets.

Je me suis regardée dans la glace. Ma face de clown triste était assez réussie mais il fallait que je fasse quelque chose pour mes cheveux, d'autant que mon sac pouvait difficilement me servir de chapeau.

– Tu pourrais me faire des nattes ? ai-je demandé à ma complice.

– Des nattes, *moi* ?

– Quand tu allais chez tes copines, vous jouiez bien à la coiffeuse, non ?

– Ouais, mais ça fait super longtemps. Maintenant, je vais plutôt chez des mecs et on s'amuse à autre chose.

– Je m'en doute, ai-je dit d'un ton sec. Allez, fais-moi des tresses.

169.

Après un moment d'hésitation, Jewel s'est placée derrière moi :

– Qu'est-ce que tu veux, des tresses normales, à l'africaine, à… ? »

– N'importe ! Grouille-toi, c'est tout ce que je te demande.

Elle a touché mes cheveux avec réticence.

– Tu es sûre que tu y tiens ? D'habitude, on fait ce genre de truc entre amies.

– Eh bien, faisons semblant d'être amies. Un jour, tu m'as dit toi-même qu'on était comme des sœurs !

Ou plutôt comme des belles-sœurs, ai-je songé en repensant à mon baiser avec Denny et au regard qu'Emma m'avait lancé en nous trouvant au lit, tous les deux, dans cette chambre d'hôtel minable. Tout à coup, j'ai eu un nouveau coup de pompe. J'ai aussi repensé à Victor couvert de sang à l'arrière de la voiture. Victor qui avait renoncé à la vie éternelle par amour pour moi.

J'ai chassé ces images de mon esprit et je me suis concentrée sur mon reflet et celui de Jewel dans le miroir. Curieusement, elle avait les yeux humides.

– Comme des sœurs, a-t-elle répété. D'accord.

*

Longues mèches de cheveux semblables à de sombres rubans qui se croisent et se recroisent. Les tresses sont comme des histoires plus ou moins effilochées qui s'entrelacent en douceur. Comme des vies.

171.

MASCARA

Jewel m'a fait trois nattes à la va-vite, qu'elle a attachées à l'aide de deux barrettes et un élastique pêché au fond de sa poche. Je me suis ensuite vaporisé les cheveux avec du fixatif, histoire de les rendre bien collants, et on y a accroché tout ce qui nous tombait sous la main : pièces de monnaie, papillotes argentées (artistiquement confectionnées avec des emballages de chewing-gum), tablettes de chewing-gum elles-mêmes, crayons, mascara, tube de rouge à lèvres, tickets de bus, ainsi que deux ou trois frites échappées du sac de Jewel, lorsqu'elle l'avait vidé sur la tablette du lavabo. Cette chère Jewel a attendu d'avoir amarré le tout avec une seconde couche de fixatif pour m'annoncer qu'elle avait aussi planté une bonne dizaine de cigarettes dans la natte que j'avais dans le dos.

– Hein !? Tu veux que je fasse le clown devant tous ces enfants avec des cigarettes plein les cheveux !

– Au prix qu'elles coûtent, je me sacrifie pour la bonne cause. Alors fiche-moi la paix !

– N'empêche que c'est moi qui aurai des ennuis si on nous accuse de pousser les jeunes au tabagisme !

– T'inquiète, ma poule, a roucoulé Jewel. Je reste solidaire avec toi, ça me donnera peut-être l'occasion de me brancher sur le ministre de la Santé, hé, hé !

À cet instant, la porte des toilettes s'est ouverte, livrant passage à une Indienne en sari, la cinquantaine, bien en chair. Après s'être attardés sur nos faces de clown au sourire hideux, ses yeux se sont posés sur le gloubiboulga de pastel et de crème qui formait une vilaine pâtasse sur le bord du lavabo.

172.

Pour couronner le tout, Jewel a négligemment laissé tomber la cendre de sa cigarette sur le carrelage.

Je me suis éclairci la gorge, feignant de reprendre une conversation brusquement interrompue par l'arrivée de l'intruse :

– Alors je lui ai dit : « Bill, si tu m'obliges encore une fois à suivre le défilé des éléphants avec mes chaussures blanches, je démissionne ! »

Sans dire un mot, la belle dame en sari a effectué un repli prudent vers la sortie.

Doublée sur la Ligne d'Arrivée
(Heure du Tour de passe-passe)

Peu après, on a repris le chemin du musée. Arrivée en haut du pan incliné qui menait au jardin des sculptures, j'ai posé mon sac alourdi par le bazar de Jewel en plus du mien. J'en ai délicatement tiré le flacon de parfum mortel, que j'ai ensuite glissé dans la poche de mon jean en priant pour ne pas me casser la figure avec. Puis j'ai caché mon sac au pied d'un arbre et l'ai recouvert avec une branche de fougère afin de parfaire le camouflage.

On s'est approchées du grillage sur la pointe des pieds. Jewel m'a effleuré l'épaule en murmurant :

– Moi la première.

J'ai secoué la tête.

– S'il te plaît, a-t-elle insisté, l'air sérieux. Je regrette pas ce que j'ai fait à Tsao. C'était un sale serpent, il a eu que ce qu'il méritait. Par contre, j'ai aspergé Tatie Joe de sérum, et même si je pouvais pas prévoir les conséquences à ce moment-là, c'est à cause de moi qu'elle est morte. J'ai envie de me rattraper.

J'ai soutenu son regard, cherchant à deviner si elle était sincère ou si c'était encore un de ces fichus baratins dont elle avait le secret. Probablement un peu des deux.

– D'accord, ai-je finalement cédé.

173.

– Merci.

Elle a agrippé le grillage à deux mains et l'a escaladé avec agilité malgré l'étroitesse de sa jupe, preuve qu'elle était habituée à ce genre d'exercice. Quand elle a enjambé le haut de la clôture, j'ai entraperçu le revolver attaché à sa cuisse. Quelques secondes plus tard, Jewel a atterri en souplesse de l'autre côté. On s'est livrées à un bref face-à-face à travers les mailles métalliques, Clown Démoniaque contre Clown Triste. Désormais, seule la haie de bambous séparait Jewel de la garden-party de Petite Sœur.

– OK, Cathy, c'est l'heure de dégager, a murmuré Jewel. Va rejoindre tes potes et tâche de laisser mon frangin en dehors de tout ça, compris ?

– Tu rêves ou quoi ? ai-je sifflé. Je te signale que c'est moi qui ai le sérum.

– Plus maintenant.

Jewel a plongé la main dans sa botte droite et en a tiré le tube de crème chic et cher que j'avais vidé de son contenu afin de confectionner mon fond de teint spécial clown.

– Tout à l'heure, quand tu es partie chercher les boules d'antenne, j'ai transvasé le parfum dans ce joli petit tube, m'a expliqué la traîtresse.

– Hein !

J'ai aussitôt sorti le flacon de ma poche et me suis vaporisé un peu de liquide sur le poignet, sans reconnaître l'odeur caractéristique de pêche et de formol : ce n'était que de l'eau du robinet.

– Jewel ! Espèce de s…

– Salut, poupée !

Elle s'est rapidement penchée en avant, si bien que nos deux nez de clown se sont touchés :

– Merci pour la séance de coiffure, m'a-t-elle glissé avant de s'éclipser dans le jardin des sculptures.

Heure du Clown Triste

Je me suis retrouvée seule devant le grillage, ne sachant trop que faire. La sagesse me conseillait de décamper au plus vite. Jewel avait le sérum et le revolver ; moi, je n'avais plus rien. En gros, il me restait le choix entre deux solutions : m'incruster dans une réception grouillante de tueurs à gages et de fillettes archi-privilégiées (allez savoir lesquels étaient les plus redoutables), ou bien retourner affronter Emma, Pete, Denny, Victor et dame Culpabilité.

OK. En avant, toute !

Après avoir escaladé la clôture en deux temps, trois mouvements, je me suis laissée tomber de l'autre côté, contente de voir que je n'avais pas perdu la main depuis l'époque où je faisais le mur pour sécher les cours de gym. À en juger par le *pouêt-pouêt* des trompettes et les échos d'un numéro de magie, la fête n'était pas encore terminée. J'ai longé la haie par-derrière, me faufilant entre des sculptures étranges qui, visiblement, n'avaient pas eu droit de cité dans le jardin principal : anges manchots, énorme tête hérissée de viseurs de fusil, femme en bronze faisant le poirier, etc.

Le cœur battant, j'ai fini par émerger des bambous. Sans être terminée, la fête tirait cependant à sa fin. Des gamines surexcitées couraient dans tous les sens sur les pelouses ; quelques-unes, plus calmes, étaient perchées sur de grosses pommes en métal rouge, au mépris des pancartes « Interdit de s'asseoir » ; d'autres, tout aussi irrespectueuses, s'amusaient à déguiser les sculptures à l'aide de différents accessoires ou à se balancer sur une monumentale épingle de nourrice en métal bleu qui, elle aussi, faisait partie des œuvres d'art. La pièce montée n'était plus qu'une ruine, les carafes de jus de fruit étaient aux trois quarts vides et les nappes blanches constellées de taches de chocolat. Une équipe de serveurs travestis en clowns s'affairaient à ramasser la multitude d'assiettes en carton

175.

et de couverts en plastique qui traînaient un peu partout ainsi que la nuée de serviettes en papier qui volaient dans le vent. Parmi eux, j'ai repéré Jewel. Elle se dirigeait lentement mais sûrement vers la table d'honneur, où Petite Sœur était encore assise, toujours aussi triste et solitaire malgré la présence de son père, lequel était en train de lui chuchoter quelque chose à l'oreille.

Sans crier gare, un gros clown puant la sueur s'est interposé à dix centimètres de moi et m'a collé son chariot rempli de ballons à modeler en disant d'une voix désespérée :

– Remplace-moi, steup', faut absolument que j'aille pisser !

– Mais euh…, ai-je amorcé en reculant d'un pas.

– La prochaine, c'est celle-là.

Il m'a désigné une blondinette qui trépignait d'impatience. D'après son badge, elle s'appelait BRIANNA BERGKAMP.

– Salut, Brianna ! ai-je lancé d'un ton enjoué. Tu veux quoi comme animal ?

– Je veux un chien ! m'a-t-elle ordonné du haut de ses dix ans.

– Eh bien, tu auras un serpent, ai-je contré du tac au tac.

J'ai choisi un ballon tout en longueur, je l'ai fixé à l'embout de la machine qui envoyait de l'air comprimé – du moins je l'espérais – et j'ai appuyé au pif sur un bouton. Coup de bol : le ballon s'est gonflé en un quart de seconde, se transformant en une saucisse rose de soixante-dix centimètres. Après l'avoir noué, je l'ai tendu à Brianna qui l'a contemplé avec une moue dubitative.

– SSSSS ! ai-je sifflé en agitant mes nattes façon serpent à sonnette.

La gamine, pas convaincue, s'est emparée de mon œuvre avec réticence, les sourcils froncés :

– Mais je voulais un…, a-t-elle commencé à protester.

– À qui le tour ? ai-je crié à la cantonade, poussant mon chariot en direction de la table où siégeait l'Ancêtre Lu.

176.

Jewel n'était plus qu'à quelques mètres de lui. Une petite princesse dénommée SIERRA s'est soudain plantée devant moi. Avec sa mine butée, son sac de créateur et sa tenue frôlant les limites du code vestimentaire autorisé par les sœurs du Sacré-Cœur, elle évoquait un clone de Britney Spear à ses débuts.

– Alors, ma chérie, ai-je roucoulé. Toi aussi, tu veux un animal en ballon ?

– Je veux une souris.

– Pourquoi pas un joli serpent ?

– Non. J'ai vu ce que tu as fait à Brianna. C'était pas du tout un animal.

Aïe. Malgré la panique qui s'est emparée de moi et le pli amer de ma grande bouche, j'ai essayé de me composer un visage rieur, ce qui n'était pas évident. Effet traumatisant garanti sur un jeune public.

– Et une belle anguille, ça te plairait ? ai-je proposé à Sierra.

Du coin de l'œil, j'ai aperçu Jewel, les bras chargés d'un gros sac poubelle, qui se dirigeait vers un conteneur en plastique.

– Je ne veux pas une anguille, je veux une souris, s'est obstinée mini-Britney. Si tu ne m'en fais pas une, je vais aller me plaindre au directeur.

– D'accord, d'accord, trésor, je vais te faire une souris ! Mais arrête de tirer cette mine renfrognée sinon tu vas rester coincée. Tu n'as pas envie de ressembler à une caissière de supermarché jusqu'à la fin de tes jours, n'est-ce pas ?

J'ai enfilé un ballon rouge dans la machine et l'ai gonflé jusqu'à obtention d'une autre saucisse géante, après quoi j'ai placé mes mains à dix centimètres l'une de l'autre et j'ai étranglé la chose de façon à créer un renflement au milieu.

– Tiens, ma chérie, ai-je déclaré, toute fière, en lui collant mon boudin informe dans les mains.

177.

limace ou escargot ?

– Elle est où, la souris ? m'a questionnée mini-Britney.

– Le serpent l'a avalée toute crue. Bon, à qui le tour maintenant ?

Entre-temps, Jewel s'était débarrassée de son sac poubelle. Je l'ai vue s'approcher de l'Ancêtre Lu par-derrière, puis se pencher en avant, comme pour ramasser une assiette sale par terre. Au moment où elle glissait la main dans sa botte, un des guignols de la sécurité a aboyé un ordre et dégainé son arme. Jewel a néanmoins sorti son tube de crème renfermant le sérum, mais avant qu'elle n'ait eu le temps de dévisser le bouchon, le type de la sécurité l'a plaquée au sol et lui a décoché deux méchants coups de pied dans le ventre.

Et voilà, l'affaire était close. Tandis que Jewel demeurait recroquevillée sur l'herbe sèche, l'Ancêtre Lu lui a doucement retiré le tube de la main. D'autres clowns, revolver au poing, sont arrivés en renfort afin de maîtriser les fillettes du Sacré-Cœur qui *saucisse* s'égosillaient comme des moineaux affolés.

– Merde, ai-je murmuré.

– C'est un gros mot, m'a vertement reproché Sierra. En plus, tu as des cigarettes dans les cheveux. Et j'attends toujours ma souris.

Un duo de Clowns Tueurs s'est approché de Jewel. Ils l'ont remise debout sans ménagement et entraînée de force vers le musée. Jewel souffrait le martyre, cela se voyait à sa façon de marcher. Elle avançait courbée en deux, vacillant et titubant entre ses deux agresseurs. Mue par un affreux pressentiment, j'ai compris que si elle franchissait la porte du musée, elle n'en ressortirait pas vivante.

Empoignant mon chariot de ballons, j'ai foncé tête baissée en direction de l'Ancêtre Lu, qui venait de poser le tube de sérum sur la table et s'était détourné pour surveiller la manœuvre de ses deux sbires, attendant tranquillement que Jewel ait disparu à l'abri des regards.

asticot

178.

souris dans serpent

← hot-dog

Le sérum était abandonné sur la table, et Lu me tournait le dos.

Une petite voix criarde m'a confirmé que l'infatigable Sierra trottait toujours derrière moi et mon chariot qui brinquebalait sur la pelouse.

– Tu as déjà vu des poumons de fumeur en photo ? m'a-t-elle demandé.

Jewel et sa funèbre escorte avaient presque atteint la porte du musée. Les pièces de monnaies collées sur mes nattes me fouettaient la nuque à chaque pas. À la table du pique-nique, Petite Sœur contemplait le dos de son papa. Soudain, la porte du musée s'est ouverte à la volée… et mon père a fait son apparition.

J'ai failli hurler « Qu'est-ce que tu fous là ? Tu es censé être avec maman ! », mais je l'ai bouclé, sachant qu'il me fallait agir vite si je voulais avoir une chance de m'emparer du tube et asperger Lu de sérum. Après ça…

– Tu as envie de *mourir* ? a insisté Sierra.

J'ai lâché mon chariot et couru vers la table. Plus que quinze mètres, dix mètres, cinq mètres et le sérum de mortalité était à moi. Si j'arrivais à en envoyer, ne serait-ce qu'une giclée à l'Ancêtre Lu, au moins aurais-je réussi à entailler son armure, et sa menace ne pèserait plus sur mes amis.

Pour l'instant, personne ne faisait attention à moi. Tout le monde suivait Jewel du regard. Tout le monde… sauf mon père. *Pourvu qu'il ne me voit pas, pourvu qu'il ne me voit pas*, ai-je prié en moi-même tout en parcourant les derniers mètres qui me séparaient du but final. Arrivée au niveau de Petite Sœur, je me suis ruée en avant et jetée sur le tube. *Ignore moi, papa ! De toute façon, je ne suis qu'un pauvre pantin à tes yeux.*

L'ennui, c'est que mon peintre de père avait exécuté des tas de portraits tout au long de ses sept cents ans d'existence. Inutile de dire qu'il avait l'œil aiguisé.

– Cathy ! Non ! s'est-il écrié soudain.

179.

agneau

J'avais la main sur le sérum quand l'Ancêtre Lu s'est retourné et m'a attrapé le poignet. Pour une fois, le temps ne s'est pas ralenti à son contact. J'ai réussi à me défendre pendant quelques secondes avant qu'il ne m'inflige une torsion vicieuse pour me bloquer le bras dans le dos. Résultat des courses : je suis tombée à genoux, des larmes de douleur plein les yeux. Le vieillard m'a dévisagée avec froideur :

– Tiens, tiens, la petite amie de Victor sous ce masque de clown triste. Quelle heureuse coïncidence !

crotte

Invités surprises

D'un geste impératif, l'Ancêtre Lu a ordonné à deux de ses malfrats d'approcher.

– Emmenez cette fille dans un endroit tranquille et… laissez-la sur place.

– *Laissez-la sur place* ? a répété Sierra qui, faisant preuve d'une persévérance hors norme, m'avait suivie jusqu'à la table principale. Qu'est-ce que ça veut dire ?

Elle a rivé son regard sur Petite Sœur, comme si elle la tenait pour responsable des propos de son père.

– S'il vous plaît, Lu Tung Ping, nous en avons déjà discuté, a intercédé mon père, les yeux baissés en signe d'humilité.

– J'épargnerai votre femme puisqu'elle ne sait rien, a répliqué Lu. Mais elle…

Il m'a regardée comme un jardinier avisant une mauvaise herbe dans son parterre de roses.

– … Elle me donne beaucoup trop de soucis.

Soudain, une voix dure et claire s'est élevée :

– Père, je pense que tu devrais reconsidérer la question.

Aussitôt, Lu a relâché sa poigne d'acier. En levant les yeux, j'ai aperçu Jun, tout de blanc vêtue, qui se tenait dans l'encadrement de la porte du musée, son couteau à manche d'ivoire dans la main.

– Jun ! s'est exclamée Petite Sœur.

Devant son expression radieuse, j'ai compris quelque chose qui m'avait échappé jusque-là : cette enfant adorait sa grande sœur et s'ennuyait terriblement d'elle depuis son départ.

– Tu es là ! a-t-elle repris en se levant d'un bond. Papa m'avait dit que tu ne viendrais pas à ma fête, mais je savais que si !

– *Ni hao*, Petite Sœur, lui a lancé Jun gentiment.

Et le regard farouche qu'elle avait opposé à son père s'est tout à coup dissipé.

C'est alors qu'a surgi Emma.

*

– Emma ! ai-je crié. Qu'est-ce que tu fais ici ?

– Je viens à ta rescousse, m'a-t-elle simplement répondu. Doux Jésus ! Qu'est-ce que tu as fait à tes cheveux, Cathy ?

Pete est apparu derrière elle, bientôt suivi de Denny et de Victor. Alors que je croyais ne plus jamais les revoir, mes amis venaient risquer leur vie pour moi. Une fois de plus. Après tout ce qui s'était passé. Pendant quelques secondes, ils sont restés sans voix devant ma bouche extra-large, mon gros nez rouge et ma coiffure de dingue.

– Waouh ! a fini par lâcher Pete. Tu as un look…

– Ouais, un look, euh…, a enchaîné Denny, aussi estomaqué et pas plus inspiré que le précédent.

Face à ma magnificence clownesque, l'ombre d'un sourire s'est dessinée sur le visage livide de Victor.

– Je crois que le mot qu'ils cherchent est… « spectaculaire », a-t-il complété.

Malgré son air déterminé, il ne semblait pas dans une forme olympique. Outre sa pâleur, il gardait les yeux à demi clos, comme si le ciel gris de San Francisco était encore trop lumineux pour ses pupilles.

Une boule de la taille d'un pamplemousse s'est formée dans ma gorge. Dire qu'ils s'étaient tous débrouillés pour me retrouver malgré les efforts que j'avais déployés pour les garder à distance ! Leur présence me faisait l'effet d'une douche fraîche en pleine canicule. C'était un peu le grand pardon.

Soulevant une natte raide de fixatif et engluée de cochonneries diverses et variées, j'ai adressé un clin d'œil à Victor et lancé, faussement désinvolte :

– On dit que la première impression est toujours la bonne, mais je voulais vérifier si la seconde ne serait pas encore meilleure !

La balle

– Assez de bavardage, nous a coupés Jun. Il est temps d'agir.

En l'espace d'une fraction de seconde, nous avons vu tournoyer sa longue chevelure noire et s'effondrer d'un bloc les deux clowns de garde qui maintenaient Jewel. Voyant sa sœur prête à défaillir, Denny s'est élancé pour la soutenir tant bien que mal de son bras valide.

– Emmène-la à l'intérieur, lui a ordonné Jun.

– Ce ne sont pas tes affaires, Jun ! a rugi l'Ancêtre Lu.

Tandis que Denny entraînait Jewel dans le musée, Jun a enjambé les deux clowns qui se tordaient de douleur par terre et répliqué :

– L'honneur de notre famille me concerne autant que toi.

L'Ancêtre Lu, sourcils froncés, s'est tourné vers mon père :

– C'est toi qui as prévenu les amis de Cathy et qui leur as dit où me trouver, hein ?

– Oui, a confessé mon père, les yeux toujours rivés sur la pelouse.

– Ensuite, j'imagine que tu les as aidés à déjouer la surveillance de mes gardes, n'est-ce pas ?

Mon père restant muet, l'Ancêtre Lu a poursuivi, implacable :

– Prépare-toi à avoir d'autres morts sur la conscience, Michael Vickers. Les fantômes de ces jeunes gens viendront bientôt te harceler jusque dans ton lit !

– Non, père, a objecté Jun, prenant à témoin l'assemblée des clowns et des écolières du Sacré-Cœur. Tu vas renvoyer tes hommes et nous rendre Cathy.

– Tu te surestimes, ma chère fille. Ton armée ne fait pas le poids. D'après mes renseignements, Victor est devenu très… fragile. Quant à lui… (coup d'œil méprisant à l'adresse de mon père), ce n'est pas à coups de pinceau qu'il me tuera !

– Si vous comptez seulement les immortels, est intervenue Emma, le score est de deux à zéro, me semble-t-il.

L'Ancêtre Lu a tapoté le tube de sérum du bout de son ongle jauni par les siècles.

– Dommage que tu aies manqué la dernière partie du spectacle, a-t-il répliqué. Je suis au regret de te dire que ton amie Cathy a échoué.

– Elle, oui. Mais pas moi.

– Ah, ah ! Ainsi, tu prétends avoir utilisé ce sérum contre moi ? s'est esclaffé le vieillard. Et par quel miracle y serais-tu arrivée ? Est-ce que tu as des pouvoirs magiques ? Vas-tu m'annoncer que tu t'es rendue invisible et que tu as traversé ce jardin pour venir m'empoisonner à la table où j'étais assis ? À moins que tu n'aies gravi les montagnes célestes jusqu'à T'ien afin d'implorer le Divin Empereur Shang-Ti de me priver du don d'éternité qu'il m'a accordé deux mille ans avant ta naissance ?

– Non, a tranquillement répondu Emma. J'ai juste filé

cinquante dollars au serveur pour qu'il verse du sérum dans votre verre.

Silence de mort. Les perruques des clowns s'ébrouaient dans le vent froid et les serviettes en papier voletaient en rase-mottes, tels des papillons mal en point.

– Emma, tu es géniale, ai-je soufflé. Un vrai coup de maître !

Après avoir examiné son gobelet vide pendant quelques secondes, l'Ancêtre Lu a relevé la tête.

– Tu bluffes !, a-t-il dit à ma meilleure amie.

Jun, vive comme une panthère, s'est alors élancée en avant, couteau au poing. Un instant plus tard, elle s'inclinait respectueusement devant son père, les deux mains jointes au niveau du front. L'Ancêtre Lu m'a lâché le poignet et a reporté son attention sur la longue estafilade qui courait sur son avant-bras, là où Jun l'avait frappé. Une première goutte de sang a perlé de la blessure et s'est mise à rouler sur sa peau parcheminée. Bientôt, une deuxième a suivi son chemin. Puis une troisième, une quatrième…

Jun a écarté ses doigts graciles, et le couteau à manche d'ivoire est tombé dans l'herbe sans un bruit. Son père continuait à saigner. *Il n'était plus invulnérable.*

184.

Victor a soupiré :

– Quelqu'un a dit qu'une main invisible appuie sur la détente dès l'instant qu'on vient au monde. La question n'est pas tant de savoir quelle trajectoire suivra la balle, mais à *quel moment* elle nous atteindra.

Après avoir observé les gouttes de sang qui ruisselaient le long de son bras comme des larmes, l'Ancêtre Lu s'est tourné vers Jun en murmurant d'un ton accusateur :

– Tu m'as tué !

– Non, c'est moi, a rectifié Emma.

Crime et Châtiment (Heure du Nouveau Mortel)

Jun a aboyé plusieurs ordres en chinois. Il y a eu un instant de flottement, à la suite de quoi plusieurs clowns se sont retirés docilement. Les élèves du couvent du Sacré-Cœur, qui n'avaient pas ouvert la bouche depuis l'arrivée de Jun, se sont remises à jacasser, emballées par cette fête qui s'annonçait d'ores et déjà comme la sortie la plus excitante de l'année. Pendant que leurs chaperons les cornaquaient jusqu'au car, leur future camarade de classe, alias Petite Sœur, a réclamé une trousse de secours à un employé du musée et s'est appliquée à panser le bras de son papa.

Victor est retourné dans le musée pour aider Denny à soigner Jewel. Le conseil de guerre s'est donc réduit à quatre membres : Emma, Pete, Jun et moi. Mon père, quant à lui, se tenait à l'écart.

– Qu'est-ce qu'on va faire de lui ? a questionné Pete, le pouce pointé sur Lu.

– Laissez-le-moi, je m'en occupe, a décrété Jun. Je veillerai à ce qu'il ne cause plus de mal.

– C'est bien gentil, mais cela ne suffit pas, a articulé Emma, forçant à outrance son accent anglais.

Pour ceux qui la connaissaient bien, c'était un signe notoire de colère.

– Ton père est responsable de la mort de Carla Beckman et de Tatie Joe. En outre, il a fait surveiller mon appartement et envoyé ses tueurs après Cathy. Par conséquent, j'estime qu'il mérite un châtiment plus sévère.

Jun a fixé mon amie, tel un faucon face à un rouge-gorge.

– Il n'en demeure pas moins qu'il reste sous ma protection, a-t-elle répliqué d'une voix plate. Tu n'as pas à le juger sur ses actions passées. Ni toi ni personne. »

J'ai vu Emma serrer les poings.

– Arrête ! ai-je grincé en guise d'avertissement.

Pete s'est montré plus persuasif. Il lui a pris la main et chuchoté quelques mots au creux de la nuque, parfait portrait de l'homme qui murmure à l'oreille d'un Poney Fou de Rage, à condition d'imaginer le susdit poney avec une crinière de soie noire et des petites lunettes rondes.

– Regarde Lu, c'est un vieil homme à présent, a lâché mon père contre toute attente.

Et c'était vrai. Lu m'avait toujours paru sans âge, mais sans son aura d'invulnérabilité, le dos voûté contre les assauts du vent mauvais, il semblait plus vieux, plus frêle ; comme si la marée du temps, si longtemps refoulée, l'avait finalement submergé avec une force redoublée.

– Il n'en a plus pour longtemps désormais, a conclu mon père.

– Bienvenu au pays de l'arthrite, ai-je commenté.

– Et au royaume des dentiers, a ajouté Pete.

– Des lumbagos, des fractures de la hanche, de l'incontinence, de la sénilité, a énuméré Emma sur le ton d'une sorcière proférant un chapelet de malédictions.

– Rien de folichon, en a convenu mon père. Mais ce n'est pas une sanction.

Son regard a discrètement dévié vers Petite Sœur, blottie contre le vieillard qu'était subitement devenu son père.

– La véritable punition, c'est qu'il aime sa fille plus que sa vie… et qu'il ne la verra pas grandir. Il n'aura jamais le bonheur de connaître la jolie jeune femme qu'elle sera plus tard, jamais la chance d'admirer son talent, d'apprécier ses qualités de cœur, la valeur de ses amis et de l'homme qu'elle aimera. Vous ne pouvez pas lui infliger pire châtiment que celui-là, a terminé mon père en me regardant.

Grand Nettoyage (Heure de la Réconciliation)

Les larbins de Lucky Joy s'étant esquivés sur l'ordre de Jun, les vrais saltimbanques ont commencé à remballer leur matériel. Afin d'accélérer le mouvement, Emma est allée aider deux clowns affublés de chaussures géantes et armés de clés anglaises à démonter le manège et le jeu de bascule. Mes aptitudes mécaniques avoisinant celles d'un concombre de mer, j'ai jugé plus utile de parcourir le jardin avec un sac poubelle afin de collecter les déchets. Mon père s'est joint à moi, et nous avons travaillé ensemble et en silence, chacun glanant les couverts en plastique qui traînaient encore ici et là, ainsi que les serviettes que le vent avait essaimées parmi les sculptures.

– J'ai appris ce qu'avait fait Victor, a fini par lâcher mon père. Il faut vraiment qu'il t'aime pour avoir pris le sérum.

– Pourtant, je ne vois pas ce qu'il me trouve, ai-je répliqué en me baissant pour ramasser une assiette sale que j'ai fourrée dans mon grand sac.

– Moi, si.

Un cri d'oiseau, quelque part au fond du jardin, a fait apparaître un léger sourire sur les lèvres de mon père.

– Quel est le nom de cet oiseau, Cathy ?

C'était un jeu auquel nous avions joué mille fois.

J'ai tendu l'oreille jusqu'à ce que le cri se répète.

– Un viréo mélodieux ?

– Gagné du premier coup !

Les viréos chantent au coucher du soleil. De fait, le jour commençait à décliner.

– Les temps ont changé, papa.

– Je sais.

– Chaque fois que je regarde maman, j'ai l'impression de lui mentir, sachant que tu es en vie alors qu'elle l'ignore.

– Est-ce que tu crois que je devrais faire comme Victor ? Avaler ce sérum. Retourner auprès de ta mère. Vieillir à ses côtés, et puis mourir...

Oui ! ai-je pensé du fond du cœur. Mais c'était la petite fille qui parlait en moi, de la même façon que tout enfant se rebelle à l'idée que ses parents puissent divorcer.

– Très sincèrement, papa, je n'en ai aucune idée, ai-je repris à voix haute. Tout ce que je sais, c'est que je ne veux pas que tu meures.

Il a détourné son regard, mais j'étais sûre que mes paroles l'avaient touché.

Il a passé la main sur son front dégarni. Ce geste si familier m'a profondément émue.

– Je ne sais même pas si elle a envie que je revienne, a soupiré mon père.

J'ai essayé d'imaginer la réaction de maman à l'annonce de son faux veuvage.

– Tu devrais peut-être lui annoncer la nouvelle d'abord, et garder ton super pouvoir de guérison pour la bonne bouche ? lui ai-je suggéré.

Ça l'a fait rire.

On a continué de marcher côte à côte. Ce n'était plus comme au bon vieux temps, à l'époque où on partait se balader ensemble pour observer les oiseaux. Tandis qu'il installait son chevalet afin de peindre tel ou tel spécimen sur le vif, je gambadais autour de lui, mon carnet de croquis dans une main, et dans l'autre les jumelles d'enfant qu'il m'avait offertes pour mon septième anniversaire. Oui, depuis, les temps avaient changé. Mais c'était très bien ainsi.

Emma (Heure de la Meilleure amie pour la Vie)

Une fois le manège démonté, Emma m'a aidée à rouler le chariot de ballons jusqu'au bas de la longue rampe incurvée qui mène au musée. Nous sommes restées debout sous le ciel gris, chacune cherchant vaguement à éviter le regard de l'autre. J'ai respiré à fond et je me suis lancée à l'eau :

– Emma, je sais que je te dois des excuses…

– À quoi ça sert que je te donne un portable si tu ne réponds jamais à mes appels ? a-t-elle lancé, pile au même instant, si bien que nos voix se sont entrecroisées en un véritable dialogue de sourdes.

– … mais je ne voulais pas te mettre en danger…

– … On est remontés dans la chambre, personne ne savait où tu étais passée et…

– … surtout après tout ce je vous ai infligé, à toi et aux autres…

– … quand ton père a téléphoné, on a cru que les types de Lucky Joy t'avaient kidnappée…

– Tu sais, je n'en reviens pas que tu sois venue à mon secours, ai-je achevé.

Emma s'est tue à son tour. Peu à peu, sa maîtrise habituelle a cédé la place à une détresse quasi palpable. Ses épaules se sont mises à trembler et ses yeux à s'humecter. Lorsqu'elle avait débarqué aux États-Unis à l'âge de treize ans, Emma avait le réflexe très asiatique de cacher ses rires ou ses pleurs derrière le paravent de ses mains. Elle s'était vite débarrassée de cette manie afin de se couler dans le moule américain, mais là, son instinct a repris le dessus : elle a porté les mains à son visage avant de fondre en larmes.

– Oh, Cathy ! J'ai eu si peur de te perdre !

Emma Cheung, la fille-qui-ne-pleure-jamais, se tenait devant moi, le corps secoué de violents sanglots.

– Chuuuut ! Tout va bien, lui ai-je dit d'une voix apaisante. Tout ira bien maintenant, je te le promets.

– *Tu es ma seule ff-famille, tu-tu comprends* ? a-t-elle hoqueté.

Apparemment, rien ne pouvait la consoler.

– Je n'ai que t-toi au m-monde, Cathy ! Tu n'as pas le droit de m-me laisser t-tomber !

Puis elle m'a prise par les bras et secouée de toutes ses forces :

– Ne refais *j-jamais ça* !

J'ai essayé de la calmer mais elle se cramponnait à moi comme une naufragée à une bouée de sauvetage.

– Je suis avec toi, Emma, ai-je murmuré, bouleversée par tant d'abandon de sa part.

Cette marque d'affection et de loyauté était un cadeau inestimable. Je n'en méritais pas autant. Son amitié indéfectible m'est apparue comme un don du ciel, tel un splendide coucher de soleil qui s'offre à vous en toute gratuité et qu'on ne peut qu'accepter avec toute la gratitude et l'émerveillement du monde.

Emma était tellement intelligente, tellement sûre d'elle, tellement déterminée que j'avais fini par oublier sa fragilité. J'ai réussi à la prendre dans mes bras et à la bercer tendrement, essayant d'apaiser les sanglots convulsifs qui persistaient à secouer son corps gracile. Au bout du compte, j'ai fini par craquer à mon tour et nous sommes restées cinq bonnes minutes accrochées l'une à l'autre comme des patelles à leur rocher et chialant comme des veaux. La tension et la peur emmagasinées au cours de ces derniers jours semblaient s'être subitement liquéfiées : on pouvait enfin ouvrir les vannes.

Emma s'est décollée de moi. Elle a séché ses larmes du revers de la main, et j'ai fait de même.

– Je te demande pardon, Em'.

– Oh, tes pauvres cheveux ! a-t-elle soupiré en effleurant mes nattes raides et poisseuses.

– J'aurais besoin d'un bon shampooing, hein ?

– Avant cela, tu ferais mieux d'aller parler à Victor.

Cette perspective m'a fait l'effet d'un seau d'eau glacée en pleine figure.

– Non, je ne peux pas.

– Il le faut, Cathy !

– J'ai trop peur !

– Oui, je m'en doute. Mais ce sera sûrement moins dur que tu ne le crois. (Emma s'est tue, le temps d'essuyer la buée sur ses lunettes.) Et puis, tu lui dois bien ça, non ?

– *Arg* ! Pourquoi faut-il que tu aies toujours raison !

191.

– Je sais, c'est un vilain défaut.

– Non, Em'. Tu es la fille la plus intelligente, la plus courageuse et la plus droite que je connaisse.

– Tu… tu le penses réellement? m'a-t-elle demandé d'une voix à peine audible, tandis que nous remontions lentement vers le musée.

– Oui.

– Dans ce cas, a-t-elle enchaîné avec un sourire mouillé, *réponds-moi quand je t'appelle sur ton fichu portable*!

Sans doute pour m'enfoncer ces paroles dans le crâne, Emma m'a donné une petite tape sur la tête. Pas si petite que ça, en réalité, mais je la méritais bien.

La bague

Alors que je rassemblais tout mon courage pour aller trouver Victor, je suis tombée sur lui, pile au moment où il sortait du musée en compagnie de Denny et de Jewel. Il les a escortés jusqu'au taxi qui attendait devant l'entrée, puis les a aidés à monter dedans. Le voyant prêt à nous rejoindre en haut des marches, Emma a fait mine de s'éloigner :

– Oups! Je crois qu'il est temps de me sauver.

– Non, s'il te plaît, ne me laisse pas! lui ai-je dit en me cramponnant à son bras.

Elle a soulevé mes doigts un par un.

– Allons, Cathy, tu n'es plus un bébé. Tu vas voir, tout se passera bien.

Plus Victor se rapprochait, plus je me sentais défaillir. J'avais la bouche sèche et les genoux en guimauve.

– Tu me le jures?

– Pas d'une façon strictement contractuelle, a-t-elle nuancé.

Une fois libérée de mes griffes, elle s'est écartée de moi et a lancé :

192.

– Salut, Victor ! Cathy me disait justement qu'elle mourait d'envie de te parler !

– Je te revaudrai ça, espèce de lâche, ai-je grincé entre mes dents. Tu es la pire amie du monde !

Sur ce, Victor est arrivé à notre hauteur, un pâle sourire aux lèvres. Emma, cette perfide, m'a abandonnée à mon triste sort.

– C'est sympa de ta part d'avoir donné un coup de main à Denny et à Jewel, ai-je amorcé d'un ton neutre. Où est-ce qu'ils sont allés ?

– Au centre hospitalier de San Francisco.

Je me suis demandé si M. Origami y était encore, observant le flux et le reflux des mortels qui défilaient dans la salle d'attente des urgences comme autant de brindilles chahutées par les eaux d'un long fleuve pas tranquille.

– Jewel s'en sortira, m'a informée Victor. Deux ou trois côtes cassées, rien de plus.

– Elle pourra rejouer de l'accordéon, alors ?

193.

– Ouais ! La rééducation sera sans doute longue et difficile, mais à mon avis, elle se remettra même à danser la polka ! Bon. Trêve de plaisanterie. Justement, je te cherchais, Cathy. J'ai quelque chose pour toi. Deux choses, en fait.

– S'il y a parmi ces deux choses un piège à loup, un électrochoc ou du gaz lacrymogène, je comprendrai très bien.

– Non, rien de tout ça, m'a-t-il répondu, de nouveau souriant.

Il s'est baissé avec précaution et s'est assis sur une marche en soupirant :

– Ça craint, d'être mortel.

– Tu as mal à la tête ?

– Oui. Et j'ai le tournis. Grosso modo, je suis assez troublé. Je suppose que c'est à cause du choc que j'ai reçu. Quoique… D'une manière générale, tu me fais toujours cet effet-là.

Je me suis assise à ses côtés mais pas au point de le toucher. Je m'étais trop souvent appuyée sur lui dans le passé. À présent, les dix centimètres qui nous séparaient me paraissaient un million de kilomètres.

– Tu es trop gentil avec moi, Victor, ai-je murmuré.

– C'est normal, non? Au cas où tu l'aurais oublié, je t'aime.

Je l'ai regardé avec gêne :

– Ah! Tu ne sais pas. Les autres ne t'ont pas mis au courant?

– De ce qui s'est passé à l'hôtel? Si. Denny m'en a parlé.

– Hein? Il t'a tout raconté? Le baiser, et…

– Chuuuut, m'a-t-il dit en posant son index sur mes lèvres. Oui. Je sais tout.

– Je… j'ai du mal à comprendre, là. Tu as tout abandonné pour moi. Tu m'as offert ta vie. Et je… je…

Je croyais avoir épuisé mon stock de larmes avec Emma, mais mes stupides yeux se sont inondés à nouveau. Bientôt, deux sillons mouillés se sont dessinés sur mon triste masque de clown.

– Chhhh… Calme-toi.

Victor a tiré de sa poche une poignée de serviettes jaunes en papier, probablement raflées sur la table du buffet.

– Tout d'abord, je t'ai apporté de quoi te débarbouiller, a-t-il dit en commençant à me nettoyer le visage avec des gestes délicats. Vu le mal qu'on a eu à démaquiller Jewel, nous en avons pour un bon moment. Remarque, ça tombe bien que tu pleures : les larmes sont un excellent diluant.

À la vue de la serviette pleine de fond de teint blanc, j'ai laissé échapper un petit rire hoquetant, sans pour autant m'arrêter de pleurer.

Victor m'a tamponné les yeux doucement, gommant au passage les arabesques bleues et vertes que j'avais cru bon d'ajouter pour parfaire mon maquillage.

194.

– Avant tout, il faut se rappeler que tu étais épuisée et terrifiée, a-t-il poursuivi, histoire de me trouver des circonstances atténuantes. Tu ne savais même pas si nous serions encore en vie le lendemain.

– Mais…

– Deuxièmement, je ne te considère pas et je ne te considérerai jamais comme ma propriété personnelle. Le fait d'avoir pris le sérum ne change rien à cela.

C'était peut-être la fatigue, mais ma peau réagissait avec une sensibilité surnaturelle aux caresses de la serviette sur mes tempes et sur mon front.

– Mais…

– Troisièmement, tu as dix-huit ans, Cathy. Pas moi. Cela peut paraître prétentieux mais ce n'est pas mon intention. Dis-toi bien que, pour ma part, je suis déjà passé par là. Je suis tombé amoureux et j'ai rompu plusieurs fois. Le mariage, le divorce… et la rage au cœur parce que c'était moi le coupable, tout ça, je connais.

Sa main a glissé sur ma nuque avant de remonter lentement le long de ma gorge.

– Tu crois que ça me plaît de t'imaginer dans les bras d'un autre ? Non. Cette idée m'est insupportable.

Petite pause, le temps de prendre une serviette propre et de s'attaquer tendrement au maquillage outrancier de ma bouche.

– Seulement, je suis adulte et je sais me raisonner. En admettant que tu tiennes encore à moi, je ne laisserais pas une malheureuse idylle de vingt minutes dans un hôtel ruiner nos chances de bonheur, même si je devais vivre mille ans.

Autre pause, le temps de se fendre d'un sourire ironique.

– Et comme il se trouve que je n'ai plus l'éternité devant moi, inutile de dire que je ne vais pas gaspiller les soixante ans qui me restent !

195.

Il a effleuré le contour de mes lèvres. Je sentais la chaleur de ses doigts à travers la fine épaisseur du papier. Je ne pleurais plus mais j'avais les joues en feu et la respiration pénible.

– Alors tu veux bien qu'on tente le coup ? ai-je soufflé.

Victor a sorti une petite boîte de sa poche.

– Je t'ai dit que j'avais deux choses pour toi. Voici la seconde.

À l'intérieur, il y avait une bague.

– Elle n'a pas une grande valeur. Ce n'est pas une alliance. Tu n'as que dix-huit ans, Cathy, tu es trop jeune pour te marier. Même avec moi.

Il m'a tendu la bague. Un simple anneau gravé de deux symboles : un cœur et le signe de l'infini.

– Considère ça comme un gage d'amour. Une option sur le futur. Dans quelques années, si tu as envie d'un bijou plus raffiné… (échange de regards entre Victor et moi) quelque chose en or, par exemple… Tu n'auras qu'à me le dire.

Il m'a glissé la bague à l'annulaire de la main droite.

– Le jour où tu voudras, Cathy. Tu es entièrement libre.

Je l'ai attrapé par sa chemise et j'ai approché mon visage du sien, le heurtant du bout de mon gros nez rouge.

– Embrasse-moi, lui ai-je ordonné d'une voix enrouée.

C'est ce qu'il a fait.

Le temps s'est mis en marche.

Le Numéro que vous avez composé…
(Heure de la déconnexion téléphonique)

Trop forte cette fille !!!

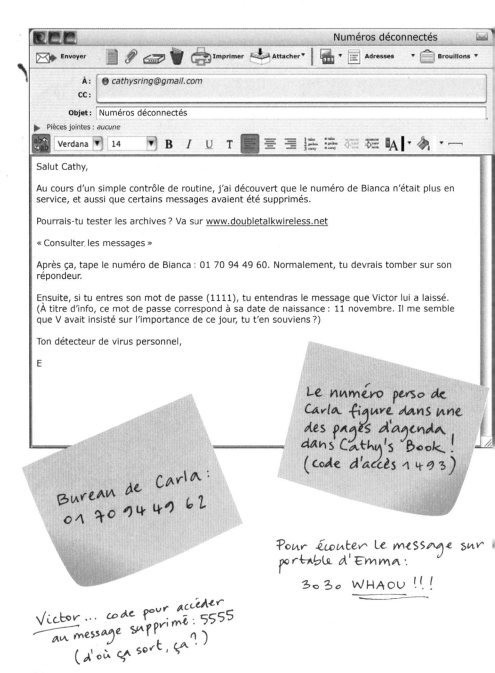

Numéros déconnectés

Envoyer · Imprimer · Attacher ▼ · Adresses ▼ · Brouillons ▼

À : cathysring@gmail.com
CC :
Objet : Numéros déconnectés
Pièces jointes : *aucune*

Verdana ▼ 14 ▼ **B** *I* U T

Salut Cathy,

Au cours d'un simple contrôle de routine, j'ai découvert que le numéro de Bianca n'était plus en service, et aussi que certains messages avaient été supprimés.

Pourrais-tu tester les archives ? Va sur www.doubletalkwireless.net

« Consulter les messages »

Après ça, tape le numéro de Bianca : 01 70 94 49 60. Normalement, tu devrais tomber sur son répondeur.

Ensuite, si tu entres son mot de passe (1111), tu entendras le message que Victor lui a laissé. (À titre d'info, ce mot de passe correspond à sa date de naissance : 11 novembre. Il me semble que V avait insisté sur l'importance de ce jour, tu t'en souviens ?)

Ton détecteur de virus personnel,

E

Le numéro perso de Carla figure dans une des pages d'agenda dans Cathy's Book ! (code d'accès 1493)

Bureau de Carla : 01 70 94 49 62

Pour écouter le message sur portable d'Emma :
3030 WHAOU !!!

Victor … code pour accéder au message supprimé : 5555 (d'où ça sort, ça ?)